Illustration de couverture : Raphaëlle Chaygneaud-Dupuy

Edition : Books on Demand GmbH,
12/14 rond-point des Champs-Elysées, 75008 Paris

Impression : Books on Demand GmbH, Norderstedt, Allemangne

ISBN : 978-23-22238-41-5

Dépôt légal : avril 2020

Le monde est flou

un conte politico-scientifique

par

Raphaëlle Chaygneaud-Dupuy

A mes premiers lecteurs,

Jeremy, Hervé, Valérie et Claire

18 février

Trente minutes qu'Alix patiente dans une antichambre du Ministère. Elle a eu le temps de lire deux chapitres de son livre sous le regard indifférent de l'huissier qui tapote par intermittence sur son clavier. Alix balaye à nouveau la pièce des yeux. Les murs sont lambrissés, peints en blancs et rehaussés d'or. Le plafond lui paraît loin. La fenêtre immense laisse entrevoir une pelouse entretenue au cordeau. Assise sur une chaise raide, Alix croise et décroise les jambes, le plus silencieusement possible malgré le parquet aux lattes sonores. La mise en scène volontairement imposante rappelle au visiteur la légitimité éphémère de sa présence dans ces lieux. Elle regarde sa montre et soupire à nouveau, déclenchant un clapotis de clavier de la part de l'huissier.

Quand elle a vu son numéro s'afficher sur son téléphone, elle a failli l'ignorer. La curiosité l'a emporté et la pousse encore maintenant à attendre, malgré l'irritation que lui procure tout retard.

Douze ans qu'elle ne l'a pas vu. Il faut dire qu'il n'était pas franchement avenant, un brin hautain et doté d'une ambition trop visible à son goût. Ils avaient beau être dans la même classe, ils ne s'étaient jamais vraiment parlés. Ils vivaient sur deux planètes différentes, en cohabitation depuis la seconde. Que peut-il bien lui vouloir après toutes ces années ? Elle ne se souvient pas avoir enregistré son contact. D'une voix sérieuse, il lui a demandé ce qu'elle faisait le lendemain à 9h. Si elle était prise, il serait bien de décommander. Le Premier Ministre a besoin de son expertise.

Des pas pressés s'approchent dans un concert de gémissements du parquet. Alix range son livre dans son sac à dos, réajuste ses lunettes sur son nez et saisit sa veste, prête à suivre l'homme qui va l'embarquer dans une étonnante recherche au cours des mois à venir.

Mathias Perthuis ouvre la porte, traverse la pièce et lui tend la main, ostentatoirement formel devant l'huissier.

-   Merci d'avoir répondu. Tu vas voir, ce n'est pas banal. Tu me suis ?

Un dédale de couloirs mène au bureau de Mathias. La pièce a beau pouvoir contenir l'ensemble de l'appartement d'Alix, elle est moins grande qu'elle ne l'imaginait. A côté de l'écran de son ordinateur, trône la toupie en bois que Mathias faisait déjà tourner continuellement sur sa table au lycée.

-   Tu veux un café ?
-   Un thé si tu as, merci. Vert, s'il te plait.
-   Oui, alors… Voilà le sachet et la tasse. Le temps que l'eau bout je t'explique rapidement la situation ?
-   Oui, volontiers. Comme ça je pourrais expliquer au directeur de l'Institut pourquoi je n'étais pas à la réunion du Comité d'éthique ce matin.

- Amine Berrada est au courant. Par contre tout ce qu'on se dit ce matin doit rester confidentiel. Tu n'auras qu'à dire à tes collègues que le Ministère de la Santé a besoin de toi sur la prochaine réforme de l'assurance maladie.
- D'accord et donc qu'est-ce que je fais chez le Premier Ministre ?

La bouilloire interrompt la discussion. Mathias verse l'eau puis pousse une pochette cartonnée vers Alix. Il saisit la toupie qu'il fait tournoyer entre ses doigts en parlant.

- Voici tous les éléments du dossier Oculus pour lequel tu es là aujourd'hui. Tu le sais sans doute déjà, je suis Conseiller Spécial du Premier Ministre aux Affaires Sanitaires. Je suis donc amené à gérer certaines crises discrètement avec le Ministère.
- Oculus ?
- Oui, les gens ont la vue qui baisse.

- Le vieillissement de la population ?

- Non, ça touche toutes les tranches d'âge sans distinction. Nous avons constaté une hausse considérable des rendez-vous chez les ophtalmologues. Le nombre de prescriptions d'appareils correctifs a explosé… au point de faire craindre une progression incontrôlée des dépenses des mutuelles.

- Du jour au lendemain ?

- Le 16 janvier pour être exact. Ce jour-là l'ensemble des praticiens ont vu leur agenda se remplir pour les six mois à venir.

- Ce n'était pas déjà le cas ?

- Dans certaines zones denses en patients ou peu pourvues en médecins, c'est vrai. Là, c'est généralisé. Les gens sont prêts à faire des heures de voiture pour consulter.

- Si tout le monde est concerné, comment se fait-il que tu ne portes pas de lunettes ?

- J'ai opté pour les lentilles. J'ai eu la clairvoyance de prendre un rendez-vous dès janvier.
- Bien sûr…

Ce ton arrogant l'exaspère, inchangé malgré les douze ans écoulés depuis le lycée. Cette histoire est néanmoins curieuse. Sa vue a bel et bien baissé depuis janvier. Mais comme elle a passé beaucoup de temps à relire des rapports imprimés en Times 10, elle se disait que ses dioptries reviendraient passée cette période de recherche intense.

- J'ai un peu de mal à croire à cette histoire.
- Les chiffres parlent d'eux même, dit Mathias en tapotant de l'index la pochette cartonnée. Je te laisse les consulter pour t'en convaincre.

Alix soulève la couverture de la pochette du bout des doigts. Sur la première page est marquée à l'encre rouge « Secret défense ». Alix se penche, tourne une deuxième page. Un document de l'Armée de l'Air présente les résultats du test ophtalmologique des aspirants pilotes daté du 16 janvier. Pas un n'a réussi. Alix lève un sourcil interrogateur.

- Oui, le 16 janvier tous les pilotes dont on devait s'assurer qu'ils voyaient bien à 10/10 voyaient flou. Ils ont tous été recalés. Et ça s'est reproduit les jours suivants. L'Armée a donc testé ses pilotes actuels. Eux aussi voient flou. C'est devenu un problème de sécurité nationale comme tu peux l'imaginer.

- L'alerte lancée par des ophtalmologues et l'Armée de l'Air, on aura tout vu, s'esclaffe Alix.

- C'est très sérieux, réplique Mathias sanglé dans la gravité du devoir.

- Tu ne m'as toujours pas dit pourquoi je suis ici ? riposte Alix sèchement.

- Tu es médecin, biologiste et spécialiste de l'œil. Ces données ne t'intriguent pas ?

- Si, évidemment. Mais pourquoi moi ?

- Parce que tu as écrit une thèse sur l'influence de l'environnement dans la dégénérescence de la cornée, que tu as fait de brillantes études, que tu es la plus jeune membre du Comité d'éthique d'un institut spécialisé dans l'étude de l'œil de renommé internationale et que tu étais la plus persévérante au lycée. Et je crois pouvoir te faire confiance.

Un tel déluge de compliments déstabilise Alix un instant. Il l'a donc observée depuis sa planète. Mathias pose la toupie avec laquelle il joue depuis le début de l'entretien, et croise les mains sur le bureau, sans doute pour accentuer sa dernière tirade, observe Alix.

- Vous avez déjà des hypothèses ? se reprend Alix.
- Oui, enfin, on a été voir ce que l'Organisation Mondiale de la Santé énonce comme causes de déficience visuelle.

Mathias sort un papier d'une pile et commence à lire.

- Cataracte, dégénérescence maculaire liée à l'âge, glaucome, rétinopathie diabétique, opacification cornéenne, trachome. De là à dire que nous sommes en mesure de diagnostiquer quelle cause peut toucher l'ensemble de la population d'un coup... C'est là que tu interviens. Ta mission consiste à élucider la cause de cette crise sanitaire et à trouver un traitement. Le tout dans des délais courts comme tu peux l'imaginer.

- J'ai besoin de réfléchir. Tu as besoin d'une réponse quand ?
- Je t'appelle demain matin.

*

Sur le chemin du retour, Alix fait une halte chez l'opticien qui l'a fournie en lunettes depuis l'âge de trois ans. Elle affectionne ce magasin aux pierres apparentes, aux profonds fauteuils de cuir, aux étagères en bois soutenant des lunettes de toutes les formes et de toutes les couleurs. Le plaisir de voir net reste associé à ce magasin. Quel bonheur de chausser ces premières lunettes qui lui avaient révélé un monde non flou.

Le magasin bourdonne d'activité. La clochette de l'entrée ne cesse de tinter. Les étagères d'habitude si remplies laissent voir la pierre des murs. L'opticien vient à sa rencontre, un sourire jusque dans les yeux.

- Alix Duffet ! Que me vaut cette visite ? Une nouvelle paire de lunettes ?
- J'en aurais sans doute besoin ! Mais ce n'est pas la raison de ma visite cette fois-ci. Juste une visite de courtoisie, et puis par curiosité pour de nouveaux modèles.
- Ah ça aurait été avec plaisir, mais ces dernières semaines ont été folles. Les gens ont la vue qui baisse on dirait, le magasin ne désemplit pas ! Nous n'avons même pas eu le temps de regarder les nouvelles collections. Je vous laisse regarder, mais comme vous le voyez, nous avons été quelque peu dévalisés.
- Et cela dure depuis combien de temps ?

- Oh, je dirais un mois, à peu de chose près. Je vous laisse jeter un œil ?

- Non, je ne vous dérange pas plus. Je repasserai quand ça se sera calmé. Merci.

L'opticien lui a à peine souhaitée une bonne journée, qu'il est alpagué par un client. L'histoire de Mathias semble se confirmer.

19 février

Alix a peu dormi. Elle a surtout exploré tous les recoins de son lit. Son cerveau en ébullition ne lui a pas laissé un moment de répit. Automatiquement, son esprit se rallumait. Une nouvelle idée. Une nouvelle piste. Une nouvelle explication. Elle s'est réveillée tard, sans être reposée. Il faut qu'elle écrive, qu'elle pose les hypothèses sur le papier et qu'elle procède systématiquement, sinon elle sait que l'insomnie ne la quittera plus.

Face à sa bouilloire, elle réalise que son cerveau, cette nuit, a pris la décision pour elle. Pourtant elle n'est pas encore convaincue par les éléments que Mathias lui a présentés hier. Des histoires de pilote de l'air miros et d'ophtalmologues surdemandés ne constituent pas des preuves scientifiques. Elle a lu avant de se coucher le contenu de la pochette cartonnée. Cette hausse de la demande recensée chez les ophtalmologues pourrait s'expliquer par un changement législatif. Une loi vient de modifier le remboursement des verres de lunette. Le texte est si complexe, que rares sont ceux qui en comprennent la teneur. Les gens ont peut-être en masse décidé de s'appareiller avant sa mise en application. Ou alors une campagne de prévention santé aura porté ses fruits. Il faudrait qu'elle cesse de zapper à l'arrivée des publicités pour en être certaine. Les questions et hypothèses tourbillonnent à nouveau. Alix soupire. Sa curiosité a pris le dessus, elle doit mener cette mission à bien.

Quelle justification va-t-elle trouver pour ses collègues, pour sa famille ? Elle improvisera. Elle les a habitués à des altérations de carrière abruptes. Elle pourrait leur dire qu'elle est devenue espionne sans que cela ne les surprenne. Alix est la seule de sa promo à avoir fait une année blanche entre l'externat et l'internat, pour s'inscrire en philosophie des sciences. Elle a ensuite découvert la recherche pendant son internat à l'hôpital des Quinze-Vingts. Elle est donc devenue Docteure en Médecine et Docteure en Sciences, le tout en faisant des allers-retours entre l'hôpital et l'Institut de la Vision, le centre hébergé au sein des Quinze-Vingts. Et puis, il y a trois mois, le Directeur de l'Institut lui a proposé de rejoindre le Comité d'éthique du centre. Bien sûr, elle a dit oui. Elle a dû renoncer à son laboratoire, mais elle a renoué avec les réflexions métaphysiques de son année de philo.

Aujourd'hui elle veut passer à l'hôpital des Quinze-Vingts pour voir des patients et se faire de premières convictions avant le coup de téléphone de Mathias. Elle sait que son instinct confirmera ou infirmera rapidement la pochette cartonnée. Elle reste intuitive malgré des années de rationalisme cartésien. Elle risque de vivre Oculus jour et nuit pendant les prochains jours, semaines ou mois, qui sait. Elle doit se faire une idée de ce qu'il se passe vraiment, voir le terrain, dresser le constat de ses propres yeux.

Alix passe la porte des urgences du centre hospitalier national d'ophtalmologie, autrement dit l'hôpital des Quinze-Vingts. Le nom de l'hôpital a beaucoup joué dans son choix de carrière. Il y avait quelque chose d'énigmatique, comme s'il fallait en être pour décrypter le code. Depuis une simple recherche Wikipédia lui a permis d'en apprendre l'origine, mais le romantisme est resté. A chaque fois qu'elle franchit le porche un frisson historique intact la saisit. Plus de quatre siècles d'histoire la sépare de l'emménagement dans l'ancienne caserne du dispensaire qui pouvait à l'origine accueillir quinze vingtaines de lits, soit trois cent aveugles.

La secrétaire lève le nez d'un mouvement automatique à l'ouverture de la porte avant de se replonger dans son dossier pour en ressortir aussitôt. Surprise, elle regarde Alix s'avancer.

- Eh bien Docteure Duffet, cela fait longtemps que nous ne vous avions pas vue ! On avait peur que vous soyez restée coincée au laboratoire !
- Oh n'exagérez pas, je passe encore de temps en temps quand même.
- Oui, mais on vous avait adoptée pendant votre internat. Bon, qu'est-ce que je peux faire pour vous ?
- J'ai appelé hier le nouveau chef de service et il m'a dit qu'il était en flux tendu avec l'arrêt

maladie d'Agnès, alors je lui ai proposé de le dépanner au moins une journée.

- Aah, donc le grand retour ! Vous connaissez le chemin, pas vrai ?

- Je devrais y arriver. Madeleine, on tente de prendre le café à midi ?

- Avec plaisir, comme toujours.

Alix retrouve les couloirs tant arpentés. Elle s'installe pour une journée chronométrée mais qui lui permettra sans doute de mesurer plus précisément la crise en cours, si crise il y a effectivement. Elle sort un grand cahier dans lequel elle a fait un tableau pour récolter quelques statistiques : symptômes, durée, âge, sexe, antécédents, cadre de vie. Un premier échantillon, pas représentatif de la population française, mais suffisant pour se faire une première idée du phénomène. Son téléphone sonne. Elle répond d'un message à Mathias : je te rappelle ce soir. Elle se lève chercher le premier patient.

*

Alix retrouve Madeleine dans le réfectoire de l'hôpital. Elle a déjà avalé son sandwich devant son cahier, à relire et synthétiser ses notes.

- Alors, comment ça va ? Quelles sont les nouvelles des urgences ? lance Alix, en s'installant en face d'elle.

- Oh c'est un peu comme toujours, on court, on court, mais les gens sont toujours aussi nombreux !

- Ah oui ?

- C'est très gentil à vous de venir faire ce remplacement en tout cas, dit Madeleine en avalant une gorgée de café, parce qu'en ce moment, il y a tellement de gens, avec un médecin en moins on aurait été submergé !

- Vous avez plus de patients qu'à la normale alors ?

- Oui, c'est l'informaticien qui nous a montré le graphique des entrées en début de semaine. Il avait peur que ce soit un bug informatique, mais non.

- Depuis quand avez-vous constaté la hausse ?
- Je dirais un peu moins d'un mois. Mais vous êtes bien curieuse ?
- Oh vous me connaissez, hein, toujours à poser des questions.
- Ça c'est vrai, quelle machine à questions vous étiez ! J'ai rarement vu un interne aussi inquisiteur !

Le rire d'Alix est coupé par la voix tombée du haut-parleur qui l'appelle aux urgences. Elle salue Madeleine et retrouve la marche à grandes foulées qu'elle adopte dès le passage des portes de l'hôpital. Certains lieux ont le don de vous faire remonter le temps.

*

Confortablement installée sur son canapé, Alix se résout à rappeler Mathias. Les patients qu'elle a vus aujourd'hui ont confirmé ses hypothèses. Elle passe une dernière fois ses notes du jour en revue. Elle ne s'explique pas la diversité des symptômes. Le seul point commun entre toutes les personnes auscultées, son petit échantillon non représentatif, réside dans l'accélération des pertes de capacités oculaires en l'espace de quelques semaines. Absolument tous ont remarqué une variation il y a deux semaines, mais quand elle poursuivait le questionnement, les réponses convergeaient sur le 16 janvier. Ce jour-là, certains ont récupéré les vieilles paires de lunettes qui trainaient dans un placard pour regarder la télévision, d'autres ont souffert d'un gros mal de tête en rentrant des cours, d'autres ont loupé une marche et se retrouvent plâtrés. Une telle coïncidence est difficile à admettre pour un cerveau rationnel.

- Mathias ? Désolée, je sais qu'il est tard.
- Non, non, je suis encore au travail. Vu la situation, je suis joignable à toute heure. Alors ?
- Oui, j'accepte la mission.
- Parfait. Moyens illimités. Tu as besoin de quoi ? réplique Mathias, un vrai modèle d'efficacité. À croire que sa salive est précieuse, sourit Alix.

- Tu as de quoi noter ? La liste est longue, elle inclue certains collègues, l'accès à des bases de données de patients et des équipements que nous n'avons pas à l'Institut.
- J'écoute.

*

Alix regarde sa montre. Il est 23h. Son plan d'attaque est prêt. Le chronomètre est lancé. Elle vient de raccrocher avec le Directeur de l'Institut de la Vision, son chef, Amine Berrada. Elle relit son plan griffonné et raturé. Il faudra le mettre au propre si elle veut partager le travail avec une équipe de collègues. Mais cela attendra demain.

Elle laisse en plan l'ensemble des feuilles A4 étalées soigneusement sur la table basse pour rejoindre son lit. On peut y lire : « Hypothèse : le flou touche tout le monde et d'un coup. Donc la cause du changement doit être soudaine et le facteur doit être commun à toute la population française. »

Elle a noté en-dessous toutes les idées auxquelles elle pouvait penser. A chaque fois elle a tenté de la disqualifier. Si l'idée résiste, elle la garde. Comme aime à le répéter Amine, en science on ne prouve pas ce qui est possible, on prouve que les alternatives sont impossibles. Que fait tout Français indépendamment de son milieu, de son âge, de ses antécédents médicaux ? Il boit de l'eau, respire de l'air, et passe sa vie devant des écrans, répond Alix.

1   *Myopie généralisée à l'ensemble de la population par l'exposition aux lumières bleues. Vérifier les études existantes sur le sujet, regarder si hausse des ventes d'appareils électroniques en janvier/février, regarder les chiffres de temps passé devant les écrans.*

2   *Pollution de l'eau/air. Tester eau et air à la recherche d'un perturbateur chimique. Inclure des questions environnement pendant auscultations de patients. Faire une recherche dans les prélèvements sanguins.*

3   *Etude de virologie, aller voir Stéphane.*

Elle a aussi repris la liste du gouvernement, même si ces maladies sont intrinsèquement individuelles, un changement de régime alimentaire ou une mutation génétique inattendue pourraient élargir la typologie de patients touchés. Alix a noté quelques noms sur sa feuille, Elif, Louis, Maud et Nathanaël, puis elle a rayé les deux derniers.

4 *Cataracte, opacification de la cornée. Regarder dans les composés alimentaires ? Alcool ?*

5 *DMLA, dégénérescence de la macula liée à l'âge étendue à d'autres âges ? Aux moins de 65 ans ?*

6 *Glaucome, hausse de la pression de l'œil accélérée par un virus ? une bactérie rentrée dans l'œil par l'eau ?*

22 février

Alix récupère en vitesse le sachet de thé qui infuse depuis un peu trop longtemps dans son eau chaude, ouvre son cahier, attrape un stylo et ses écouteurs, juste à temps pour l'appel de Mathias de 7h30.

- Bonjour Alix, commence-t-il sobrement.
- Salut, aïe, dit-elle en se brulant la langue.
- Ça va ?
- Oui, j'ai confondu vitesse et précipitation, explique Alix, reprenant à son compte l'expression que lui serinait sa mère chaque fois qu'elle engloutissait trop vite son petit déjeuner. Alors voici où j'en suis de mes réflexions : je vais explorer la liste des différentes maladies. J'ai deux doctorants sur le sujet. Par contre je pense qu'il faut réfléchir à des causes qui pourraient

toucher tout le monde, comme la pollution, un virus ou une mutation génétique.

- Un virus ?

- Oui, il faudrait faire des prélèvements sanguins pour voir s'il y a des traces d'anticorps inconnus par exemple. On en parle avec les membres de la nouvelle équipe Oculus aujourd'hui. Tu as reçu leur accord de confidentialité ?

- Oui, j'ai tout. As-tu fini les recrutements ?

- Presque, ça dépendra en partie des nouvelles pistes.

- Dont la mutation de l'ADN ?

- Oui, là c'est plus compliqué pour obtenir des séquençages ADN. Je vais réfléchir à une façon de procéder.

- Mais ça ne te révèle dans aucun des cas les causes de l'épidémie ? questionne Mathias.

- Non, ça ne me dit pas à quoi est dû la mutation ou comment se propage le virus, mais ça oriente la stratégie de lutte. Et puis on peut ensuite remonter à la cause racine.

- Je vois. J'arrive à Matignon. A demain, conclut-il en raccrochant.

Il est 7h31. Leur relation a le mérite de la brièveté, voire de la précipitation, sourit-elle. Alix se détend, s'appuie sur le dossier de sa chaise de cuisine et saisit la tartine sur la table qui attendait la fin de l'appel. Elle la mâche lentement en pensant à sa mère.

*

Devant les boites aux lettres, l'oreille d'Alix attrape à la volée les commentaires de couloir de deux voisins qui s'énervent de la médiocrité du match de foot de la veille. Une cage toute dégagée aurait été loupée et plus de trente fautes enregistrées par un arbitre entre exaspération et incompréhension. Comment est-il possible que les joueurs soient devenus si mauvais ? Certes la sélection est composée de jeunes fraichement promus bleus, mais tout de même ! A croire qu'ils aient tous besoin de lunettes. Bonjour mademoiselle !

La pharmacie du coin de la rue, trois personnes attendent sur le trottoir. Deux rues plus loin, une queue de cinq personnes. A l'angle du boulevard, huit personnes. Alix laisse filer son vélo, pensive, avant de lui faire dessiner un U. Elle pose un pied sur le trottoir et interpelle le pharmacien sorti scotcher une feuille d'imprimante sur la vitrine. Il se décale à temps pour laisser la bousculade de patients déchiffrer l'écriture manuscrite qui annonce « Plus de paracétamol en stock » puis se disperser en maugréant.

- Bonjour, que se passe-t-il ?
- Incompréhensible, soupire le pharmacien. Les gens se battent pour des boites de paracétamol… On n'a jamais vu une telle vague de migraines.
- Que vous disent vos patients ? poursuit Alix. Quand surviennent les symptômes ?

- Ils sont fatigués à la fin de la journée, ils prennent un cachet pour calmer le mal de tête. Mais pourquoi toutes ces questions ? se reprend le pharmacien. Vous êtes journaliste ?
- Non, non, juste un peu curieuse. Bon courage !

Alix rembobine la pédale, prend appui et file. Un nouveau signe. La crise s'accélère. Aujourd'hui l'équipe Oculus entre en action. Les collègues et doctorants qu'elle a sélectionnés ces derniers jours avec le Directeur de l'Institut vont être embarqués comme elle dans une mission très spéciale.

25 février

Alix est la première à passer la porte de la bibliothèque des Quinze-Vingts ce matin. La bibliothécaire a à peine déverrouillée la serrure, qu'Alix parcourt déjà les rayons. Dix minutes plus tard, elle étale autour d'elle des piles de livres, de revues, d'articles. Elle ouvre son cahier et couvre de lignes plus ou moins droites les pages à grand renfort de flèches et de schémas.

Elle a décidé de vérifier la plausibilité de l'hypothèse des lumières bleues. Cela corroborerait l'idée que tous les patients soient victime d'un même mal. Tous les patients, plutôt toute la population, vu l'ampleur du phénomène. Son premier instinct est de chercher les causes d'une myopie généralisée, comme elle l'expliquait encore à Mathias ce matin. La durée d'exposition aux lumières bleues de l'ensemble des écrans que chacun consulte en continu, a encore récemment été pointée du doigt par un confrère. Il suffirait qu'elle trouve une référence à une durée limite critique pour l'œil devant les écrans ou une altération de la luminosité qui serait passée inaperçue du grand public.

Après une heure de recherche documentaire, la piste s'éloigne. La gravité de la perte de vision actuelle ne correspond pas à la perte de dioptries progressive que semble générer ces fameuses lumières bleues. Elle se refuse à tomber dans les théories conspirationnistes et à envisager un scénario farfelu type *Infinie Comédie*. Ce livre, qui trône inachevé sur sa table de nuit depuis deux ans, dépeint une société touchée par un fléau étrange, où le seul contenu d'une cassette vidéo provoque une addiction des spectateurs telle qu'ils en oublient de se nourrir, de dormir, et finissent par mourir sur place. Alix imagine la toile se couvrir bientôt de théories similaires, où gouvernements et entreprises des télécommunications à l'échelle du globe se seraient alliés pour augmenter la toxicité des lumières bleues pour aveugler leurs populations.

Alix est interrompue dans ses rêveries littéraires par l'arrivée d'un coursier dans la bibliothèque. Celui-ci se plante devant le bureau de la bibliothécaire, quelque peu surprise par ce visiteur incongru.

- Bonjour madame, commence celui-ci poliment.
- Monsieur ? Je peux vous aider ?
- Oui, à l'accueil de l'hôpital on m'a dit de venir ici.
- D'accord, mais je n'ai rien commandé.
- Vous n'êtes pas Alix Duffet ? s'enquière le coursier, qui se voit déjà errant de bureau en bureau dans tout le bâtiment à la recherche de son destinataire.
- C'est moi Alix Duffet, le sauve Alix, en levant la main depuis sa chaise.

Le coursier pivote avec soulagement vers la voix et vient lui tendre un écran sur lequel signer. Il dépose trois grosses enveloppes en papier kraft devant elle et disparaît, satisfait. Etonnée, Alix retourne les enveloppes à la recherche d'un expéditeur. Elles sont vierges de toute écriture. La bibliothécaire curieuse se lève de son bureau au prétexte d'aller remettre des ouvrages sur leurs étagères. Au passage, elle fait un détour devant la table d'Alix, qui observe sa manœuvre, pas dupe. Elle ouvre une enveloppe et en tire un papier orné d'un coup de tampon encreur rouge : « secret défense – confidentiel ». Alix rentre hâtivement la feuille dans l'enveloppe avant que la bibliothécaire ne s'approche de sa table à nouveau. Elle se lève, rassemble les brassées de papier qu'elle a trouvées à 9h et va les déposer sur le bureau de la bibliothécaire.

-   Merci pour votre aide, bonne journée, lance Alix avant de franchir le pas de la porte.

Elle doit examiner le contenu hors de vue, dans son propre bureau. Elle n'a pas long à parcourir avant d'arriver dans la partie des bâtiments des Quinze-Vingts dédiée à la recherche. Son bureau est désormais protégé par un code d'accès. Des techniciens sont venus installer une nouvelle serrure le 20 février. Comme tous les jours, Alix ne parvient pas à se remémorer le code. 613428, à moins que ce soit

613482... Non, toujours pas. Elle fouille dans la liste de contacts de son téléphone. Elle l'a rajouté aux informations du contact de ses parents. La sécurité tient à peu de choses. Elle ouvre la première enveloppe pour découvrir des séquençages ADN de personnes inscrites sur les listes du don de moelle. Une seconde elle se revoit à Noël à suivre attentivement les séances de sensibilisation familiales au don de moelle qu'animait sa tante médecin. Aussitôt ses pensées se bousculent. Si elle contacte un échantillon significatif des inscrits avant le 16 janvier pour un test sanguin sous un prétexte qu'elle trouvera bien, pour la recherche scientifique en fait, elle pourra faire un comparatif avant/après 16 janvier. Elle pourra ainsi vérifier la présence ou l'absence de mutation génétique généralisée à la population française. Alix reprend son souffle.

Elle se saisit d'une nouvelle enveloppe comme on ouvre ses cadeaux de Noël, avec une impatience saupoudrée d'une ombre d'inquiétude quant à la satisfaction de son attente. Mathias avait bien promis des moyens illimités. Alix ne peut s'empêcher de questionner la façon dont les documents ont été obtenus. Mathias tire quelques ficelles et elle reçoit toutes les informations dont elle peut avoir besoin. Ce sentiment de puissance est risqué. La deuxième enveloppe contient des résultats sanguins des tests réalisés sur les dons de sang. Alix, l'enveloppe bien en main, saute sur ses pieds. Elle a désormais la matière pour vérifier une intuition. Elle toque à la porte de son collègue Stéphane. Lui saura analyser ces résultats à la recherche d'une trace de virus qui s'attaquerait au nerf optique. Elle a embarqué le virologue dès le 21 février. Il avait alors poussé un grand soupir de soulagement. C'était donc pour ça que ses étudiants le regardaient en plissant les yeux et passaient leur temps à le faire répéter depuis la rentrée de janvier. Stéphane avait craint une promo revenue abrutie des partiels de fin de semestre, alors qu'ils ne voyaient tout simplement plus le tableau. Stéphane, malgré son mètre quatre-vingt-dix, est tout mince. Il n'est pas très imposant et trop amène pour qu'elle l'imagine rudoyer ses étudiants aussi agaçants soient-ils.

- La discrétion est de mise pour éviter tout vent de panique, lui rappelle Alix.
- C'est parti ! s'exclame Stéphane en réceptionnant l'enveloppe kraft des deux mains en se courbant légèrement. J'ai toujours aimé un bon casse-tête !
- Au fait, Amine confirme, tu peux dégager tout le temps dont tu as besoin.
- Je tâcherai de faire honneur à l'équipe Oculus ! conclut Stéphane en lui serrant la main solennellement.

*

Rincée par une nouvelle journée à coordonner l'équipe Oculus, elle a ramené ses dossiers jusqu'à son canapé. Elle a avalé une soupe sans être capable d'en nommer les ingrédients tant son cerveau est focalisé sur le Grand Flou. Depuis une semaine, Alix s'est installée dans le rythme effréné qu'elle pressentait et la tendance s'annonce similaire pour les semaines à venir. Elle consacre tout son temps à son enquête, quitte à mettre en pause pour quelques semaines, ou mois au pire des cas, sa vie sociale. Elle a appelé sa famille et ses amies le lendemain de sa première rencontre avec Mathias à Matignon en leur disant qu'elle plongeait dans un dossier épineux et qu'elle leur ferait signe quand elle sortirait du tunnel. En attendant elle envoie un sms à tous ses proches chaque dimanche : « Toujours en vie ! ». En retour, ils lui demandent des conseils face à leur propre baisse de vue.

Plus qu'à demie immergée dans sa lecture, Alix regarde d'un œil la télévision allumée sur les mondiaux de ski. Les compétiteurs descendent un par un le slalom, lui donnant des prétextes pour prendre une pause de ses analyses. Jusqu'à présent ils n'ont pas brillé par leur adresse. Le troisième est en train de dévaler la piste à toute vitesse quand après avoir volé dans les airs il loupe sa réception et parcourt la fin sur les fesses. Elle replonge dans ses dossiers. Le commentateur s'agace au passage du quatrième qui selon ses dires n'a pas bien calculé sa distance. Elle monte le son et observe de plus près.

- Allez cette fois-ci c'est la bonne ! On y croit ! Mickael Pequignon sort d'une excellente saison, et c'est la dernière de l'année pour ce jurassien de vingt-neuf ans. Allez, il doit tout donner. C'est un excellent départ. Il est bien sur ses appuis en ce début de course. Là ça se corse, on est dans le premier mur. Il est un peu en retard sur la sortie de ce troisième virage. Ces conditions climatiques difficiles, avec la luminosité qui change, n'arrangent rien. On lui fait confiance. Allez Mickael ! Il a retrouvé son ski dans le plat. Et quelle vitesse en sortie de la partie de glisse ! Plus que le dernier saut qui a posé des difficultés aux Autrichiens avant lui. Allez, allez... Oh il est sur ses talons, il faut se remettre en avant, oh ça va être juste. Ah catastrophe ! Si bien parti, mais il a loupé la réception, comme s'il n'arrivait pas à jauger la distance entre ses skis et le sol. Très étonnant pour un skieur qui nous a habitué à sa vision impeccable du tracé, et pourtant, il calcule mal et chute comme tous les autres. On espère pour lui et sa famille qu'il ne s'est pas blessé. Vu les dégâts, il va falloir sérieusement se poser la question de l'annulation de la course pour éviter d'envoyer tous nos champions aux Urgences !

Les doutes d'Alix se confirment. On dirait bien que les skieurs ne voient plus bien les reliefs de la piste. Le flou gagne le haut niveau…

27 février

Comme Mathias insistait sur sa liste OMS de maladies, Alix a missionné des doctorants sur le sujet. Elle les a empruntés pour « raison d'Etat » à des collègues habilités à diriger la recherche, comme on dit dans le jargon. Leurs directeurs de thèse ont bien voulu les libérer pour deux semaines, le temps de mener à bien la mission, s'ils l'acceptent. Elle ne fait plus partie de l'équipe de chercheurs de l'Institut depuis trois mois. Elle a replongé seulement pour la mission Oculus, mettant entre parenthèse ses nouvelles fonctions au Comité d'éthique des Quinze-Vingts. Elle avait pour projet de réfléchir au rôle du patient à l'hôpital et au rapport entre science et société. Cela attendra.

Alix est interrompu dans ses regrets par les gros bouillons de l'eau pour son thé. Elle écoute d'une oreille distraite la radio. Une humoriste entame sa chronique. Alix verse l'eau sur sa boule à thé.

Le monde est devenu fou… ou flou ! En tous cas pour Franck, agriculteur à Migné-Auxances, la route n'était plus très nette lundi après-midi, quand il a épandu son fumier un peu sur son champ… et beaucoup sur la route départementale ! A croire qu'il voulait emmerder les Mignanxois. D'après Ouest-France, l'agriculteur a agi sans préméditation… mais avec maladresse ! Un problème de direction de son tracteur, assure-t-il. Mais de là à louper son champ… C'est les taupes de Franck qui se marrent ! D'autant qu'il a aussi arrosé la file de voitures de collection qui se rendaient à un rassemblement d'anciennes dans le village voisin. Un show un peu différent les attendait, un remake odorant de la marée noire de 1999 ! Des Bugatti, des Porsche, des Ferrari engluées au sol, leurs ailes couvertes de goudron, pardon, de fumier. Un retour bien ironique à la nature. A croire que tout le monde devient miro dans la région de Poitiers. Bientôt ils imiteront les taupes et s'orienteront à l'odorat, encore le meilleur moyen pour repérer les marées de fumier !

Le flou a atteint les médias. Elle se demande si Mathias écoute la radio à cette heure-là ou s'il est déjà en train d'arpenter les couloirs de Matignon. Louis, un des doctorants missionnés sur Oculus, fait coulisser la porte qui sépare son bureau du laboratoire, comme à contre cœur. Elle coupe la radio.

Louis étudie la cataracte pour examiner les influences de l'environnement sur l'opacification du cristallin, une des maladies de la liste OMS. Celles-ci touchent toutes des populations âgées de cinquante ans ou plus. Son hypothèse tend à dire que, du fait de nos cadres de vie, elles se sont propagées à l'ensemble des tranches d'âge. A moins que l'ensemble de la population ait soudain commencé à absorber des litres d'alcool, à ingurgiter du sucre à en devenir diabétique ou à s'exposer au soleil de midi en continu, le développement d'une cataracte à l'échelle de la France est improbable en-dessous d'un certain âge. Mais le jeune doctorant s'est néanmoins appliqué à aller interroger des nutritionnistes : ont-ils constaté un afflux de consultations suite à des comportements excessifs ?

Alix s'attend à une invalidation de son hypothèse un peu décalée, mais elle trouve la gêne du doctorant adorable.

- Dis Louis, comment ça s'est passé avec les nutritionnistes que je t'avais indiqués ?

- Ah, oui, alors, eh bien, non, non pas de comportements excessifs enregistrés. Enfin pas plus qu'à la normale. Donc tout est normal en fait.

- Donc pas de cas de cataracte enfantine à garder sous le radar ?

- Non, mais ça aurait fait un sacré papier !

- Certes, mais dommageable pour les patients tout de même, répond Alix.

- Oui, bien sûr, approuve Louis en rosissant des joues jusqu'au front. Tout de même, la recherche avance, et dans quelques mois, ou plutôt années, on trouvera peut-être un lien clair entre un aliment commercialisé en janvier pour la première fois et la cataracte…

- Il n'y a plus qu'à alors, sourit Alix face à l'innocence du jeune chercheur, tu peux retourner à ton projet de thèse. Merci pour ta contribution, on avance !

*

Dans l'après-midi, une autre chercheuse de l'Institut de la Vision, Adélaïde, une généticienne vient infirmer une autre hypothèse. La seule raison d'une dégénérescence maculaire liée à l'âge, ou DMLA, qui ne serait soudain plus liée à l'âge pour toucher toute la population, réside dans les gènes. Mais il faudrait que toute l'espèce ait connu une mutation génétique au même moment. Autant dire que la probabilité est infime, digne d'un ouvrage de science-fiction. Alix est d'autant plus désappointée que cette maladie dans ses symptômes pouvait expliquer la crise. Les gens se plaignaient de ne plus voir leur environnement aussi précisément et d'être incommodés. Les ophtalmologues, débordés par l'afflux de patients et ne pouvant plus leur accorder que 10 minutes, auraient pu aisément être induits en erreur par les formulations employées par les patients. Le symptôme clef de la DMLA est une distorsion des lignes droites. Malgré les campagnes du Ministère de la Santé, la maladie reste peu connue du grand public en comparaison de la myopie. Alix doit toutefois reconnaître avoir péché par optimisme sur cette hypothèse.

28 février

Alix a du mal à reconnaître son ancien laboratoire tant il y a de nouveaux équipements : un rétinographe, un OCT ou tomographie en cohérence optique, un biomètre, un champ visuel, un microscope électronique, un bain à ultrasons, des étuves en tout genre, etc. Dans le cadre de la mission, elle a récupéré temporairement le laboratoire qu'elle venait de quitter. A la fin d'Oculus, elle n'occupera plus qu'un bureau, petit mais qu'elle a déjà aménagé. Les rayonnages de la bibliothèque sont lourds de livres et de plantes vertes, la bouilloire trône en bonne place et elle a toujours un change de vêtements dans un tiroir au cas où elle descende de vélo rincée par la pluie. En attendant, ses collègues de la mission Oculus ont hâte que le secret soit levé pour que les équipements reviennent en partage à l'ensemble de l'Institut. Alix a réussi sa négociation avec Mathias à ce sujet.

Sur le mur du fond du laboratoire est suspendu d'un panneau avec toutes les hypothèses à ce jour. On dirait le décor d'un téléfilm policier. Alix n'a pas été jusqu'à punaiser des filins rouges entre eux pour illustrer les connections et les faisceaux de preuves. Elle s'inquiète par contre du nombre grandissant de grandes croix rouges qui viennent invalider, les unes derrière les autres, les hypothèses. Elle sera bientôt à court d'idées. Après ce sera le vide du doute. Elle n'y est pas encore cependant. Elle pose son sac, repousse ses verres jusqu'au sommet de son nez et lance la bouilloire.

Alix, un thé dans une main et un crayon dans l'autre, s'est campée devant le panneau, d'un air décidé. Dès sa journée aux urgences elle avait éliminé deux des options listées par Mathias. Le trachome, ou infection oculaire contagieuse causée par un certain Chlamedya Trachomatis, ou, pour faire plus compréhensible et moins savant, la conjonctive, ne collait pas avec ses observations. Ses patients n'avaient pas les yeux rouges et irrités, et depuis elle n'en avait pas observé parmi les passants qu'elle fixait, sans doute avec une insistance déconcertante, dans la rue, à la recherche d'un signe. Cela faisait du même coup disparaître l'hypothèse de l'opacification de la cornée. Celle-ci est causée soit par une blessure de la cornée par un projectile ou par une inflammation virale ou bactérienne. Et dans chaque cas cela laisse des traces sur l'œil. Donc la population française n'est pas soudainement devenue accro aux feux d'artifice au point d'approcher de trop près des explosions les yeux grands ouverts face au spectacle, même si l'image peut prêter à sourire.

Elif, une jeune doctorante en thèse sur le glaucome depuis un an à l'Institut, entre précédée par l'odeur d'un café. Elle salue Louis, qui, les écouteurs sur les oreilles, est en pleine manipulation. Elif travaille sur un projet de dépistage précoce du glaucome, maladie souvent discrète et indolore qui affecte surtout la vision périphérique. Elle a été mise dans la confidence du projet Oculus.

- Salut Alix, ça va ? Tu as une minute ?
- Oui, oui vas-y, installe toi… là, lui propose Alix pas encore habituée à la nouvelle configuration

de son espace de travail. Tu me fais le tour des facteurs possibles pour le glaucome ? J'ai peut-être oublié quelque chose.

- Alors, dit Elif en s'asseyant face au tableau d'enquête, je vais te faire une réponse similaire à celle de Louis concernant les facteurs de déclenchement de la maladie chez les moins de quarante ans. Les études que j'ai trouvées corroborent tes intuitions.

- Pas de diabète généralisé à toute la population donc ? sourit Alix.

- Non en effet, répond Elif, et pas de prise prolongée de corticoïde soudaine de toute la population, pas d'hypertension généralisée, pas d'afflux incontrôlé de patients souffrants d'apnées du sommeil dans les hôpitaux.

- Bon, c'est sans grosse surprise. Tu fais la croix ? propose Alix en tendant le marqueur rouge à Elif.

- Par contre, ajoute Elif en se levant, si c'est un glaucome, il deviendra visible dans quelques semaines, lorsque l'œil commence à enfler. Là on serait fixé de façon claire.

- Oui, sauf que nous non plus, on ne pourrait plus voir.

- Haha, pas faux ! s'exclame Elif. J'ai l'impression de participer à une enquête de police… j'aurais peut-être dû m'orienter dans la police scientifique.

- Il n'est jamais trop tard pour bifurquer, lui lance Alix en relançant une théière.

- Sans doute, je serais imbattable pour repérer les glaucomes des victimes ! dit Elif en s'installant devant son ordinateur.

*

Elif et Louis ont obligé Alix à faire une pause. Ils l'ont emmenée manger thaï. Attablés autour de currys verts fumant, Elif et Louis sont tout fiers d'avoir réussi à sortir Alix des Quinze-Vingts avant 20h. Depuis une semaine, elle est la première arrivée et la dernière partie de tout l'étage. Chaque soir avant d'éteindre les lumières, elle passe dans le bureau d'Amine Berrada, lui faire le compte-rendu de sa journée et réfléchir ensemble les prochaines étapes.

- Oh mon dieu ! parvient à s'exclamer Alix qui s'étouffe. Vous ne m'aviez pas prévenue que c'était si épicé !

- Oh, c'est sympa, dit Louis tout en s'essuyant ses yeux humides du piment.

- C'est tellement bon, ajoute Elif en avalant une grande cuillère de curry, il faut alterner avec le riz, ça calme.

- Alix ? Pourquoi Nathanaël et Maud ne font pas partie de l'équipe Oculus ? demande Louis.

- Oui… c'est un peu bizarre pour nous de ne plus les voir.

- Ah c'est très simple, et ne vous en faites pas, je leur ai expliqué le contexte, ça m'est peut-être sorti de la tête de vous le dire, songe Alix.

- Tu leur as dit quoi ? poursuit Louis.

- Nathanaël travaille sur le conjonctivite et Maud sur les opacifications de cornée. Or ce sont des maladies très visibles à l'examen. Pas un des patients ne présentait des symptômes. Alors je leur ai dit que j'étais missionnée par le gouvernement pour une étude scientifique, que pour le moment c'était top secret.

- Mais ils auraient quand même pu aider, indirectement, proteste Elif.

- Sans doute, mais j'ai reçu des instructions du gouvernement pour limiter le cercle des gens au courant à cinq personnes, en plus d'Amine et moi. Il a fallu faire des choix.

Un des clients du restaurant erre entre les tables, un peu perdu, les yeux plissés. Elif lui tape sur l'épaule le faisant sursauter et lui indique du doigt la porte surplombée de l'inscription « toilettes » au fond du restaurant.

- Oh ça me fait penser, lance Louis, j'ai commencé à observer les gens autour de moi pour déceler des symptômes qu'ils ne voient plus. Depuis quelques jours, dans le métro les gens ont l'air tellement perdus ! Il y a toujours ceux dont les jambes les guident en mode automatique jusqu'à la rame. Mais ce matin j'avais l'impression que tout le monde me rentrait dedans !

- Tu as remarqué aussi ! s'écrie Elif. Les personnes flottent, se collent aux panneaux de signalisation et s'agglutinent dès qu'une personne commence à donner une direction, comme des essaims de gens myopes !

- Déjà que tout est uniquement en français, ajoute Alix, les touristes doivent être encore plus déboussolés.

- Certains sont peut-être en orbite autour de Paris à l'heure où l'on parle ! renchérit Louis.

L'image les fait éclater de rire. Heureusement que les appareils photo ont des zooms performants, sinon les touristes ne pourraient plus voir les monuments !

4 mars

Trois coups sont frappés à la porte, après de vains essais sur le code d'accès. Louis se lève ouvrir la porte à Simon dont les yeux sont cernés de violet. Sa fatigue apparente ne lui a pas fait négliger son style vestimentaire coloré. Sa chemise, ornée de plaques de rue parisiennes, est impeccablement repassée. Simon est chimiste, spécialiste des perturbateurs d'origine industrielle et l'auteur d'un papier publié dans l'une des plus prestigieuses revues internationales prouvant le lien entre la présence du E713B dans la moutarde et l'allergie à la pistache. Il était rentré dans l'équipe Oculus le lendemain du coup de fil de Mathias. Alix et Simon avaient fait leur première année de médecine ensemble où ils étaient devenus inséparables. Simon l'avait aidée en réfléchissant par rebond d'une tête à l'autre à circonscrire son enquête.

-   Si on cherche une modification à l'échelle de toute la population française, il faut que la voie de contamination soit commune à l'ensemble des Français. Donc on doit exclure l'alimentation dans un premier temps, elle varie trop d'une personne à l'autre. Par contre on peut regarder dans l'eau, avait tout de suite démarré Simon. Bon j'attaque par cette hypothèse ? Et après je regarde l'air ?

- Super, va jouer au chimiste, tu t'y connais mieux que moi sur le sujet. Dès que tu as du nouveau, tu m'appelles. De toute façon la notion de weekend a disparu pour moi ces derniers temps…

- Jouer au chimiste, on aura tout entendu, avait soupiré Simon, feignant l'outrage.

Simon s'écroule sur un tabouret face au panneau en liège. La géographie des croix rouges l'inquiète pour la santé mentale de son amie. Dire qu'il va devoir lui en rajouter une. Il a accepté de faire partie de l'équipe autant pour son expertise que pour son amitié pour Alix. Celle-ci avait besoin de se sentir portée par quelque chose de plus grand qu'elle, de sentir l'adrénaline dans ses veines. Syndrome classique de Wonder Woman, avait-il diagnostiqué dès leur première rencontre.

- Merci Louis, je ne m'y ferai pas à cette porte sécurisée, j'ai l'impression de rentrer dans Fort Knox ! s'exclame-t-il.
- Oui, ça me fait pareil, avoue Alix. Alors ? Du nouveau ?

Assise sur une chaise à roulettes, elle s'écarte d'un coup de pied de la table en rechaussant ses lunettes. Elle vient de les sortir de son tout nouveau bain à ultrasons et elles sont redevenues transparentes, à sa grande satisfaction. Pas question de renoncer à ce genre de petites joies malgré la période pour le moins agitée.

- Malheureusement oui… ou non, ça dépend. Je n'ai rien trouvé, et pourtant vu le défi je me suis décarcassé ! J'ai été jusqu'à aller tester l'eau des centrales d'épuration ! Mais rien dans l'eau du robinet, rien de particulier dans l'eau en bouteille. Je me suis même déplacé pour tester l'eau dans plusieurs villes. Rien.

- Tu n'as pas expliqué pourquoi tu faisais ces tests ?

- Non, bien sûr. La carte du scientifique avec une idée farfelue en tête marche toujours, et je ne m'en prive pas. Je crois que mes interlocuteurs en ont conçu une certaine sympathie à mon égard, surtout que je me baladais avec une de mes chemises…

- Celle avec les molécules d'eau ?

- Oh, tu me connais si bien !

- Et oui ! Bon, donc encore une hypothèse qui tombe à l'eau…

- C'est le cas de le dire !

Le téléphone portable d'Alix sonne sur la paillasse du laboratoire. C'est un numéro privé. Alix répond sans entrain. Il s'agit de Mathias, celui-ci se croyant dans un film d'espionnage a décidé de ne plus laisser de trace et ne l'appelle plus qu'en numéro masqué. Simon adore se moquer de Mathias, lui reprochant de se prendre trop au sérieux. Il l'a surnommé « le gendre idéal », beau parti et sérieux.

- Oui Mathias ?
- Allume ta télévision, ordonne Mathias.
- Il n'y en a pas dans le labo.
- Ah mince. Eh bien, regarde le direct sur ton ordinateur. Sur la 2.
- D'accord, pas besoin d'être aussi sec…

Alix pose son téléphone et déclenche le haut-parleur. Elle ouvre une nouvelle page sur son ordinateur et tombe sur un flash info. Un certain Julien Corbale explique à grand renfort d'infographies qu'une crise sanitaire est en cours et que le gouvernement l'a cachée à la population. Il parle du 16 janvier comme du Jour du Grand Flou, une date qui marquera l'Histoire avec un grand H. Les médias ont enfin réagi, se dit Alix. Ce temps de latence est étrange de la part d'une profession entraînée à dénicher les scandales, à faire preuve de clairvoyance. Ils étaient sans doute en plein déni, impossible pour eux d'envisager le monde autrement que par la vue. Que feront les journalistes, les photographes et les caméramans dans un monde flou, qui se dérobe à l'observation ?

- Aïe, murmure Alix.

- Tu vois d'où vient mon irritation maintenant ? Qui a fuité ? Le Premier Ministre est furieux. Tout ça en plein milieu de la réforme de l'assurance santé !

- Et tu cherches la tête à faire tomber, sinon c'est la tienne qui roule ? Le bouc émissaire qui dédouane le gouvernement ?

- Non mais c'est étrange tout de même, nous ne sommes qu'une poignée à être au courant.

- Tu ne penses pas que ce Julien Corbale a pu arriver à la même conclusion que toi et moi sans information top secrète ? Sans taupe ? Enfin, il faudrait être aveugle pour ne pas comprendre que quelque chose cloche !

Un silence suit la remarque d'Alix. C'est confirmé, il n'écoute pas les humoristes le matin à la radio. Mathias cherche une explication simple pour le grand public et semble déçu que le scénario du traître ou de l'indiscret ne s'impose pas.

- Il va juste falloir que le Premier Ministre explique en toute transparence que le gouvernement a souhaité ne pas inquiéter la population tant que la crise n'était pas avérée scientifiquement, poursuit Alix.

- Tu me donnes des leçons de discours politique maintenant ? rétorque Mathias, narquois.

- Ce n'est pas parce que je suis scientifique que je vis hors du monde. C'est fini l'image du scientifique coupé de la réalité, enfermé dans son laboratoire. D'ailleurs, maintenant que l'affaire est ébruitée, est-ce que tu pourrais envoyer quelqu'un enlever le code sur ma porte ? Une bonne vieille clef suffisait amplement.

- Si tu insistes. On annoncera la création du Comité Scientifique.
- Ah de l'air ! On va enfin sortir du placard.
- Il faudra que tu fasses une intervention télévisée en tant qu'interlocutrice scientifique du gouvernement.
- Oublie, je n'ai pas le temps, et puis c'est pas mon truc. Demande au Directeur de l'Institut, c'est lui qui décide de ce genre de relations publiques.
- Bien. Je vais aller faire des recherches sur ce Julien Corbale.

Et comme d'habitude il raccroche sans formalité. Alix souffle. Elle se tourne vers Simon, faussement absorbé dans l'étude de son nouveau microscope électronique. Elle le regarde en souriant.

- Allez, vas-y, que la salve de remarques ironiques démarre.

- Non, non même pas. Bien mouché. C'est tout. Sinon, vu que tu n'es plus en quarantaine du reste du laboratoire, je pourrai venir l'utiliser ? demande Simon en tapotant le sommet de l'appareil.

- Euh oui, sans doute, tu veux voir des gouttes d'eau de très, très près ?

- Ah. Ah. Hilarant. Qui fait dans l'ironie maintenant ?

- Tu déteins ! Allez, j'y retourne. On se voit au déjeuner ?

- Oui, je te laisse les résultats là, dit Simon en posant une liasse de papier sur le bureau avant de sortir. Salut Elif, salut Louis, ne la laissez pas sans thé, sinon elle va s'effondrer !

- Merci pour ton aide !

6 mars

Alix vient de fermer le cadenas de son vélo quand une main se pose sur son épaule.

- Hello Alix ! la salue Simon aussi joyeux que possible.
- Salut, tu as l'air bien content.
- Oh il a cessé de pleuvoir, je suis un homme simple tu sais.
- Haha, tu me mets clairement de meilleur humeur que mon appel matinal avec Mathias !
- Monsieur 7h30.
- C'est son nouveau surnom ? Plus de « gendre idéal » ?
- Non, un gendre idéal ne te renfrogne pas dès le matin.
- Pas faux. Monsieur 7h30... Froid et efficace, ça lui va bien.

Simon et Alix montent ensemble dans les étages des Quinze-Vingts. Arrivés devant la porte du laboratoire d'Alix celle-ci attrape son téléphone pour composer le code sous le regard amusé et affligé de Simon. Le laboratoire est encore vide, elle est la première arrivée. Stéphane les interpelle du bout du couloir, il n'a pas envie de devoir se souvenir du code. Mathias n'a toujours pas envoyé de technicien.

- Simon ! Alix ! Waouh, je ne la connaissais pas cette chemise ! s'exclame-t-il devant la chemise de Simon couverte de portes bariolées.
- Une acquisition récente, explique Simon, en lui tenant la porte du laboratoire. Tu apportes de bonnes nouvelles ?
- J'ai bien peur que non…
- Bon, vous me raconterez, dit Simon en s'éloignant dans le couloir, franchement ce projet commence à me déprimer !

Alix, son sac encore sur le dos, le casque attaché sur le côté, saisit directement le feutre rouge et le tend à Stéphane qui vient rayer « virus généralisé s'attaquant directement au nerf optique ».

- Désolé. J'ai passé des heures à éplucher les données. J'ai fait des analyses sanguines supplémentaires, mais je n'ai rien trouvé, ni anticorps signalant un nouveau virus, ni trace de mutation liée à une pollution.

- Tu as fait vite, remarque Alix.

- Enfin, j'ai pas fait ça tout seul. Lucy et Guneet ont bien bossé je dois dire.

- Lucy, rappelle-moi, elle est en post-doc ? demande Alix.

- Oui, et Guneet est en co-tutelle pour sa thèse.

- Tu leur as bien fait signer l'accord de confidentialité ?

- Oui, ne t'en fais pas. J'ai reçu une notification du Monde parlant d'Oculus d'ailleurs.

- Oui la crise est officielle, mais bon le gouvernement veut continuer à contrôler les communications qui sortent du labo. Ils m'ont proposée une intervention télévisée, pas sûre de vouloir ajouter la pression médiatique à la pression sanitaire…

- Et ça va toi ? Tu as l'air… fatiguée.

- Oui, on peut le dire. Petit moral.

- Tu sais, on est une équipe, hein ? Tu n'hésites pas surtout.

- Merci Stéphane.

- Je dois y retourner, mais…

- Oui je n'hésiterai pas, promis. On déjeune avec Simon ce midi. Tu te joins à nous ?

- Avec plaisir.

*

Alix parcourt les infos sur son téléphone pour voir les réactions à la nouvelle.

« La Ministre de la Santé annonce travailler au plus près des professionnels de santé sur le sujet. Une mesure de

remboursement plus conséquent des paires de lunettes pour toute la population est dans les tuyaux. L'accès à l'appareil de correction de la vue est devenue une priorité de santé publique. Les mutuelles ne seront pas laissées seules pour assurer le remboursement des lunettes. D'autres mesures seront annoncées par le gouvernement dans les jours à venir. »

Alix allume son ordinateur et parcours rapidement ses mails. La quantité de boucles de mails qu'elle reçoit d'inconnus la laisse perplexe. Comment tous ces gens se procurent-ils son adresse ? Un mail attire son attention. Il est noté « IMPORTANT » et vient du laboratoire de Boston aux Etats-Unis. Un clic et elle lit une description des symptômes de baisse de la vue similaires dans la population américaine. Le 16 janvier est devenu en anglais le « Blurry Day ». Une collègue espagnole a déjà répondu qu'elle avait observé ce même « día del desenfoque » à Valladolid. S'en suivent des messages du Liban, de Suisse, d'Italie, de Russie, de Chine, du Mali et du Sénégal. Tous sont parvenus au même constat. Alix clique sur « répondre à tous ».

Chers collègues,

Je ne peux malheureusement qu'inclure la France dans le constat que vous dressez. Je vous propose de nous rencontrer à Paris rapidement afin de mettre nos expertises en commun et voir collectivement comment nous pouvons répondre à cette crise sanitaire sans précédent. Si vous en êtes d'accord, retrouvons-nous dès la semaine prochaine, le 13 mars, pour un colloque d'une nature un peu inédite. Je vous enverrai une proposition détaillée demain.

Bien à vous,
Alix Duffet

11 mars

Alix se réveille au bip répété de son téléphone portable, épuisée de dormir en pointillés. Mathias lui envoie des messages en rafale. Apparemment ils ont rendez-vous à 8h30 au 112 rue de l'Observatoire à Issy les Moulineaux. Est-ce qu'elle confirme avoir reçu le précédent message ? Son lit est recouvert de papiers, son carnet rempli de notes serrées, son ordinateur est posé dans une position précaire au pied du lit. Alix étire toutes ses articulations, s'attache les cheveux, boit une gorgée de la gourde qu'elle garde à côté de son lit, se mouche, enfile un pull, avant de regarder à nouveau son portable qui s'est encore manifesté. L'adresse du rendez-vous sur son téléphone correspond à celle d'un restaurant gastronomique. Une nouvelle séance de briefing, mais pour varier les plaisirs, en présentiel. Jusqu'ici elle a essentiellement eu droit à des appels téléphoniques. Les conversations durent rarement plus de 3 minutes, un bref échange d'informations. Mathias lui soumet des hypothèses, lui demande des rapports sur ses avancées et lui rappelle les chiffres grandissants de la crise du Grand Flou, comme l'appelle désormais les médias. Il est le pire directeur de laboratoire autoproclamé dont elle puisse cauchemarder. Son véritable directeur de laboratoire, Amine, est fasciné par la quantité de travail qu'elle abat. Il l'a recommandée quand le Ministère l'a contacté pour cette mission dite délicate. Mathias s'est bien gardé de lui partager cette information.

Et maintenant il ne faut plus seulement qu'elle l'ait au téléphone chaque matin, il faut qu'elle le voie… Alix est d'autant plus agacée d'être convoquée ce matin, qu'elle a encore beaucoup de travail à finir avant l'arrivée des cinq autres scientifiques pour le « colloque Oculus ». Ce colloque d'urgence en petit comité a suscité l'intérêt de l'OMS, qui a missionné un délégué depuis son siège à Genève, afin de suivre les avancées dans la résolution de cette crise des plus grands spécialistes du domaine à l'échelle mondiale. Le directeur du laboratoire est ravi des retombées médiatiques qu'une telle rencontre ne manquera pas d'avoir sur l'institution. Alix a quant à elle opté pour un déni total des enjeux afin de ne pas se laisser submerger par la pression et le stress.

Son téléphone lui indique quarante minutes de trajet à vélo. Il lui reste donc quinze minutes top chrono pour l'enfourcher. Elle lance la bouilloire, file sous la douche, enfile le premier vêtement de chaque pile de son armoire, remplit son thermos, prend son sac à dos et son casque. Elle se fige dans l'entrée. Et si ce n'était pas un pur rendez-vous de travail ? Pourquoi un restaurant gastronomique ? Pourquoi si loin du Ministère pour quelqu'un qui n'a jamais le temps, même de déjeuner ? Pourquoi à cet horaire-là ? Alix s'interroge la main sur la poignée de porte. Et si Mathias avait autre chose en tête ? Alix claque la porte, elle verra bien.

Mathias fait les cent pas devant le restaurant. La voiture noire qui le conduit partout est garée au coin de la rue. Alix cherche du regard un poteau où attacher son vélo. Elle a à peine mis pied à terre, que Mathias est à son niveau. Il la gratifie d'un sourire qui cache mal un certain empressement.

- Tu n'as pas confirmé. Mais j'ai vu que tu avais lu mon message.

- Vive la technologie, marmonne Alix.

- Tu pourrais répondre quand même. Ce n'est pas la relation que je souhaite avoir avec toi. La communication est importante dans toute relation.

- Tu as fini ? Pourquoi suis-je convoquée ici ?

- Tu vas voir ! répond Mathias, surexcité. Tu me suis ?

- Apparemment.

Mathias fait le tour du restaurant pour tomber dans la rue parallèle. Il s'engouffre dans un bâtiment répondant au triptyque classique de l'architecture moderne, béton, métal et verre. La paranoïa de Mathias en devient touchante, comme si un rêve d'enfant se réalisait. Il vit enfin la vie d'agent secret. Alix jouerait James Bond, il serait M. Drôle de distributions des rôles, songe Alix en passant la porte de verre qui coulisse en douceur. Un portique de sécurité les accueille, suivi du désormais classique contrôle des pièces d'identité. L'hôtesse passe un rapide coup de téléphone et leur indique des fauteuils recouverts de cuir blanc. Ils ont à peine le temps de s'asseoir qu'un homme tout de noir vêtu aux tempes déjà poivre et sel apparaît. Il doit avoir le même âge qu'eux. Ses yeux sont d'un bleu acier. Pour une raison qu'elle ne s'explique pas, l'homme provoque un malaise chez Alix.

- Monsieur le Conseiller Spécial ! Toujours un plaisir de vous accueillir parmi nous.
- Oh arrête, dit Mathias sur un ton de fausse modestie et ajoute en se tournant vers Alix, nous étions dans la même promotion en école d'ingénieur.
- Ce qu'il oublie de dire c'est que je n'ai pas poursuivi comme lui mes études pour devenir haut fonctionnaire. Edouard Valant, enchanté, se présente leur hôte en tendant la main à Alix.
- Alix Duffet.
- Je vous fais faire un tour ?

- Oui et quelques explications sur la raison de ma présence ici ne seraient pas de refus.
- Haha, tu as voulu préservé le mystère ? demande Edouard à Mathias. C'est bien, ça c'est le sens du spectacle ! Vous allez voir.

Edouard les guide jusqu'à un ascenseur dont les boutons ne s'affichent qu'après pression du pouce sur un pavé de reconnaissance digitale. Le sixième étage est tout de verre et de métal. Sur la paroi de verre qui fait face à l'ascenseur, le nom de l'entreprise qui occupe le plateau est enfin signalé : EyeVision. Les employés sont tous des variantes d'Edouard et ils ont ce même regard étrange. Dans une salle aux quatre parois de verre, Edouard les installe autour d'une longue table étroite. D'une pression il fait basculer le plateau qui révèle une vitrine où sont présentés une vingtaine de modèle de lunettes et de petits présentoirs à lentilles.

- Bienvenue à la pointe de la technologie optique. Chez EyeVision, nous travaillons depuis deux ans à la fabrication d'appareils d'optique révolutionnaires, qui vont changer notre vision du monde. Êtes-vous prêts à voir votre façon de regarder le monde révolutionnée ?

Mathias semble boire ses paroles. Sans doute aurait-il travaillé dans la « tech » ou mieux dans une « start up de la tech », s'il n'avait pas choisi la politique. Il semble anachronique, cintré dans son costume noir, dans ce monde de cols roulés et sweats à capuche. Alix se garde de commenter pour le moment. Elle craint de comprendre l'objet du rendez-vous : elle a devant elle son remplaçant.

- Ce que vous avez devant vous, c'est le futur.

- Qu'est-ce que ces lunettes ont de spécial ? demande Alix.

- Ce ne sont pas de simples lunettes, mais des caméras doublées d'un ordinateur.

- Ah une nouvelle tentative de faire des lunettes de réalité augmentée ?

- Non, non, c'est bien plus que ça. Nous avons mis au point un système de reconnaissance d'un flux vidéo en continu par intelligence artificielle à partir de la plus grande base de données d'images au monde.

- Donc la lunette filme en continu.

- Et restitue sur l'écran interne de la lunette l'image corrigée grâce au « deep learning » de notre algorithme d'intelligence artificielle. Cela résout le problème de vision actuel.

- Mais cela ne perturbe pas la vue ? Avec les lunettes on voit aussi autour.

- Nous y avons pensé, d'où la forme profilée de nos lunettes pour ne pas être gêné par le monde extérieur.

- Gêné par le monde extérieur… sérieusement ? répète Alix.

- Tu ne trouves pas ça dingue ? lui demande Mathias, sans relever.

- Si. C'est le mot.

- Et nous avons également élaboré une version pour les lentilles afin de couvrir toutes les habitudes clients, poursuit Edouard. Nous appelons ça la vision 5.0. Nous avons déjà des précommandes partout dans le monde. Les plus grandes célébrités de la tech nous ont contactés.

- Cette solution est déjà commercialisée ?

- Aujourd'hui nous ne communiquons pas sur nos prix, nous travaillons uniquement sur devis à partir d'une ordonnance. Cela reste avant tout un dispositif médical.

- Bien sûr… Un dispositif qui requiert des moyens considérables j'imagine ? Donc cela résout la crise pour les gens qui peuvent se le permettre. Un pourcentage extrêmement réduit de la population mondiale somme toute.

- La technologie a un coût en effet. Mais nous espérons dès l'an prochain pouvoir en proposer une version grand public à partir de 500€. Le Grand Flou a boosté les ventes, cela nous permettra d'étoffer notre équipe de R&D et de faire baisser les coûts de production.

- Je vois…

Edouard insiste pour les faire essayer. Alix se retrouve donc à troquer sa paire de lunettes pour la version à reconstruction d'images. Elle se lève, l'image suit. Elle regarde à gauche, l'image suit. Elle regarde à droite, l'image accuse un retard. Elle fait quelques pas. L'algorithme a dû être bien entrainé dans ces locaux, pense-t-elle, ce serait intéressant de les tester à vélo, dans un environnement non contrôlé et en évolution rapide. Son œil se sent contraint dans ces lunettes, il n'est pas libre de vagabonder pour percevoir son environnement avec son amplitude naturelle de 124°. Le monde semble plat, comme si elle regardait une télévision. Alix soupire. Malgré toutes les tentatives humaines, l'œil restera toujours plus puissant que tout dispositif de captation d'image… même si aujourd'hui l'œil déraille, il le fait en couvrant un angle de 124° de flou. Oui, ce dispositif ne manquera pas de séduire des investisseurs. Alix déchausse ses montures pour retrouver son habituel flou quotidien. Mathias porte toujours les siennes et s'enthousiasme de la résolution de l'image, de la miniaturisation du procédé, de la légèreté de la monture. Il sort de sa poche de veste sa toupie et la fait virevolter sur le bureau, « pour tester la robustesse des lunettes ».

- Et les lentilles ? demande Alix.
- C'est la même technologie, la même taille et consistance que des lentilles rigides. Nous voulions minimiser la barrière à l'adoption des clients. Vous êtes myope, non ? Je peux vous en offrir une paire, c'est un confort incomparable par rapport à une paire de lunettes classiques.

Edouard prend délicatement une petite boite transparente dont la forme aura nécessité des heures de recherche par des designers visionnaires. A travers on voit deux lentilles irisées bleu. Le même bleu que les yeux d'Edouard.

- Vous avez des lentilles colorées ?
- « Teintées » est le mot qui nous semble le plus juste. Cela ne remplace pas votre couleur d'iris originelle mais vient la filtrer plutôt. Nous sommes restés dans une gamme classique pour

le moment, bleu, vert, noisette, étant donné le profil de notre clientèle d'early adopters. Nous pensons au moment du développement grand public proposer des collections pensées par des designers.

- Et vous avez choisi bleu vous-même ? poursuit Alix, imperturbable.

- Tout à fait, confirme Edouard.

- Toi qui avais les yeux gris, le taquine Mathias, ça surprend quand même un peu.

Le malaise qu'Alix avait ressenti en voyant Edouard s'explique. Ses lentilles lui donnent un regard plus fixe, plus focalisé sur son interlocuteur, un brin surnaturel. Edouard lui tend la boite de lentilles et un câble de recharge. La batterie dure 14 heures. Il faut donc penser à brancher ses lentilles le soir avant de se coucher à moins de se retrouver dans le flou le lendemain. Il faut recharger ses yeux... Alix et Mathias quittent le bâtiment sur la promesse de faire des retours constructifs pour permettre l'amélioration continue du produit.

*

A peine revenus sur le trottoir, Mathias se tourne vers Alix, en attente d'une réponse proportionnelle à son enthousiasme.

- Alors ? Qu'en penses-tu ? Génial, hein ?
- Une belle prouesse technologique en tous cas.
- Oui, qui va révolutionner nos façons de voir le monde.
- On passera grâce à ça d'une vision à 124° à une vision de maximum 60°. Adieu vision périphérique. Un peu comme les œillères des chevaux maintenant que j'y pense, ironise Alix.
- Tu es sérieuse ? Mathias semble douché par le manque d'enthousiasme d'Alix.
- C'est un pansement sur une jambe de bois... ça n'explique rien, tranche-t-elle.
- Pendant que tu n'avances pas, il faut bien qu'on trouve des solutions ! explose Mathias. C'est

quoi tes pistes ? Hein ? Aucune. Je t'amène ici, je te montre que j'ai confiance en toi, que ton avis compte, et toi, toi… tu hausses une épaule méprisante !

- Si tu cherches des solutions toutes cuites, tu as choisi la mauvaise personne. La science est un processus rigoureux d'hypothèses et de preuves et ça, vois-tu, ça prend du temps, même en temps de crise avec des moyens illimités.

- Pas besoin de me faire une leçon moralisante sur la science digne de ton Comité d'éthique. Je connais. Mais toi, tu es une scientifique ! Tu es médecin ! Tu ne crois plus au progrès ?

- Mais quel progrès ? Les gens deviennent aveugles !

- Et c'est ton rôle d'empêcher ça !

- Non, mon rôle consiste à comprendre le phénomène, et non à trouver des gadgets pour avoir l'impression d'avoir résolu la crise ! Si on ne trouve pas une explication rapidement, on ne pourra pas soigner les gens. Nous allons tous finir aveugles. Aveugles ! Et toi, tu l'es déjà, aveuglé par ta technologie, comme si ça allait changer quoi que ce soit !

Mathias la fixe froidement. Alix a fini sa tirade et face à la pause de Mathias, elle ne sait plus trop l'attitude à adopter. Elle a peut-être été un peu trop véhémente dans l'expression de ses convictions. Mais pourquoi ne parle-t-il plus ?

- Si tu ne peux pas apporter des pistes concrètes d'ici la semaine prochaine, tu es virée. Tu as sept jours.

Mathias tourne les talons pour l'empêcher de répliquer et faire une sortie dramatique. Il disparait vite dans sa voiture aux vitres teintées. Alix retourne à son vélo en maugréant. A force de vivre cent pourcent du temps avec ce problème à élucider, elle s'est investie. La pensée qu'on lui retire sa mission avant d'avoir compris l'affecte plus qu'elle ne se l'avoue. Un peu choquée, elle se dirige vers le laboratoire en plissant les yeux pour tenter de voir plus net. Elle n'a pas de temps à perdre en considérations émotionnelles. Le chronomètre tourne. Tous ses espoirs sont tournés vers le partage d'idées et de résultats avec ses pairs demain.

13 mars

Les accidents entre usagers de la route sont pléthore depuis quelques semaines. La hausse est spectaculaire. La ville a repeint en urgence les pistes cyclables en rouge pour qu'automobilistes et piétons les voient mieux. Cette peinture produit un son au passage des voitures, qui leur signale qu'elles traversent une zone de croisement ou qu'elles se sont tout simplement trompées de voie. La hausse du nombre d'accidents a marqué l'arrêt un temps mais la vue de la population a encore baissé, malgré les chiffres vertigineux de vente de casques. Et les présentateurs du 20h ont recommencé à égrainer des nombres d'accidents toujours plus élevés que la veille. Les urgences ne désemplissent pas de patients aux affections allant de la cheville cassée en passant par la brûlure du bras sur le goudron des routes jusqu'au traumatisme crânien.

Les ventes de masques de protection couvrant bouche et nez ont explosé. Ironiquement on ne voit désormais plus que les yeux des passants, alors même qu'il est prouvé que le phénomène n'est pas viral. La panique a toutefois envahi la ville, faute de communication claire du gouvernement et les habitants tentent de se protéger avec les moyens à leur disposition.

Pour l'heure elle se dépêche de rejoindre l'équipe Oculus pour accueillir les cinq chercheurs qui ont réussi à se libérer, notamment de la pression de leurs gouvernements respectifs.

La secrétaire de l'Institut apporte de grands thermos de café et d'eau chaude. Elle les dépose sur une table au fond de la grande salle. Son collègue entre avec des chevalets portant les noms des participants et une boite à câbles et télécommandes pour projeter les présentations des scientifiques. Alix passe en coup de vent dans la salle, juste le temps de les remercier pour leur aide, et elle se poste à l'entrée pour accueillir les premiers arrivés. Ana Maria Soledo est venue de Valladolid, Jeffrey Rogers a atterri la veille depuis Boston, tout comme Taylor Appleton du centre de recherche de Chicago, Johannes Kühn et Tobias Ankle ont pris le train depuis Lausanne.

Chacun s'est installé avec gravité devant son chevalet. La parole a rapidement circulé avec la facilitation d'Amine, le directeur de l'Institut. Celui-ci a beaucoup œuvré à la tenue de la réunion, notamment pour convaincre les directeurs des établissements partenaires, chacun étant impliqué dans la résolution de crise du Grand Flou à l'échelle nationale. Le concours du Délégué de l'OMS, Maximilien Van Peetersen, a débloqué certaines réticences nationalistes.

Jeffrey a travaillé avec une virologue et ils sont parvenus à la même conclusion que l'équipe Oculus. La propagation du flou est trop uniforme pour correspondre à une épidémie, elle ne correspond pas aux modélisations mathématiques des précédentes pandémies mondiales. Stéphane confirme l'absence d'indices dans le sang des Français. Simon, le collègue d'Alix, enchaine en évacuant la possibilité d'une explication dans l'immédiat par un perturbateur chimique dans l'air ou dans l'eau. Ana Maria est convaincue qu'en si peu de temps il est impossible de tisser plus que des intuitions. Seules des études plus longues révèleront des liens de cause à effet.

Amine propose de sortir des listes de maladies connues pour imaginer de nouvelles pistes. Maximilien prend force notes et hoche la tête. Tobias propose à l'assemblée l'idée d'un déplacement de la fovéa, l'endroit où se concentrent les récepteurs des rayons de lumière dans l'œil. Cela nécessiterait des examens approfondis des patients. Alix évoque un papier de recherche fondamentale sur l'horloge rétinienne. Celle-ci fonctionne indépendamment de l'horloge biologique interne qui régule notre rythme et nos humeurs. Et si celle-ci s'était déréglée ? Le consensus s'établit pour avoir ces options en tête dans les études et recherches à venir.

La pause déjeuner permet de détendre l'atmosphère. Le sentiment d'urgence persiste néanmoins et les conversations ne tardent jamais à revenir sur le Grand Flou au détour d'une anecdote personnelle. Johannes fait beaucoup rire en décrivant sa propre découverte du phénomène. De passage à la gare de Zürich, les oreilles prises par la musique de ses écouteurs, il avait mal lu le panneau d'affichage et s'était retrouvé à Dietikon, au lieu de Dietlikon, soit à 20 kilomètres de la maison de son ami. Il était arrivé avec 45 minutes de retard. Inacceptable pour un Suisse, conclut-il.

*

Au début de l'après-midi, le directeur lance les réflexions sur des solutions de court terme. Alix s'impatiente déjà. Chercher des solutions dans l'immédiat ne permettra pas de comprendre la cause profonde et donc de pouvoir véritablement agir sur la crise. Elle n'en démordra pas
Taylor affirme avoir déjà fait des tests de thérapie génétique qui pourraient s'avérer prometteurs. Elle ne sait toutefois pas si le traitement sera bien accepté par les patients du test clinique et ne provoquera pas de réaction immunitaire ou de toxicité. Il faudra ensuite être patient pour vérifier l'expression durable du gène transféré. Johannes enchaine :

- Nous testons en ce moment sur nos patients qui étaient programmés pour une greffe de rétine, l'idée d'une déficience rétinienne. Pour le moment seuls deux patients ont subi l'opération. Nous sommes bien conscients que l'échantillon est faible, mais nous pourrons rapidement dire si ce protocole peut fonctionner.

Alix bout pendant la présentation de ses confrères. Elle tapote nerveusement son cahier de notes de la pointe de son stylo. Cette dernière remarque la pousse à prendre la parole.

- Je comprends la logique opportuniste, mais ça ne permettra pas de trouver la cause première puisque vous n'opérez que sur des gens qui ne voyaient déjà pas avant la crise ! Là, vous êtes dans le noir, littéralement, d'autant que bientôt on sera tous aveugles. Qui ferra les greffes alors ? On ne va pas laisser cette tâche à d'hypothétiques, et surtout inexistants, robots dopés à l'intelligence artificielle comme s'en gargarisent les journaux, si ?

- C'est une première étape, nous pensons à un protocole pour greffer les rétines sur des patients auparavant sains, répond calmement Johannes. Cela pose quand même un problème déontologique, vu que nous n'observons pas de défaut sur leur rétine.

- Nous n'avons pas le temps pour ces essais-erreurs dans le noir total !

- Mais en observant ces patients on peut retrouver la cause ! C'est la logique au cœur de toute expérimentation.

Alix se surprend à parler comme Mathias et s'interrompt brusquement. Confuse, elle boit une gorgée d'eau. Le directeur de l'Institut la regarde avec désapprobation, elle a perdu son calme. Sa collègue espagnole prend le relai et questionne en détails le Suisse sur le protocole envisagé.

15 mars

Alix a décidé de prévenir, plutôt que de guérir d'une chute future. Le magasin de vélos fourmille de cyclistes en devenir. Les magasins ont dû étendre leurs heures d'ouverture rivalisant avec les kebabs. Beaucoup de ses concitoyens ont dû renoncer à la voiture quand leur permis leurs a été retiré. Il y a deux semaines que le gouvernement a institué une visite médicale obligatoire avant de pouvoir prendre le volant. Sans certificat d'aptitude, le permis est suspendu et conservé chez le médecin généraliste jusqu'à ce que la vue remonte ou plutôt jusqu'à l'achat d'un appareil de correction. Les rues grouillent de vélos qui ont pris la place qu'occupait la voiture avant le Grand Flou.

Alix se fraye un chemin jusqu'au rayon des vêtements. Les classiques tenues noires moulantes à bandes réfléchissantes des cyclistes ont laissé la place à une offre multicolore. Tout est fait pour être visible. Les sur-vêtements sont désormais recouverts de matière réfléchissante et de toutes les couleurs de fluo imaginables. Les créateurs ont même inventé des modèles à rayures, à carreaux ou à motifs floraux, afin de se différencier du gilet jaune devenu trop répandu. Alix opte pour une tenue complètement rouge, quitte à ressembler au Petit Chaperon Rouge, au moins elle sera visible. Elle double aussi la puissance et la portée de ses lumières. Elle est équipée pour effectuer la demi-heure de pédalage qui sépare son appartement du laboratoire.

*

Harassée par la journée, Alix regarde les résultats des dernières analyses qu'elle a reçues, quand elle sent son portable vibrer brièvement à deux reprises. Mathias lui a envoyé un message : « Allume ta TV, le président s'exprime à 20h. » L'allocution du Président de la République avait tardé. Il avait sans doute imaginé pouvoir résoudre la crise avant même que les citoyens s'en aperçoivent. Sans doute prenait-il seulement maintenant la mesure de la complexité, du flou, du brouillard ambiant.

- Mes chers compatriotes, comme vous l'avez entendu à la télévision ces derniers jours, la France, tout comme l'ensemble des pays du monde, traverse aujourd'hui une crise sans précédent. Je tiens d'abord à vous assurer du soutien du gouvernement auprès de chacun et chacune. Une équipe de scientifiques chevronnés est à pied d'œuvre pour déceler la cause du phénomène de perte de vision que nous vivons à l'heure actuelle.

Ça y est, songe Alix, le Comité Scientifique est officiel. L'opacité du secret fait place à la transparence des mesures qu'elle a recommandée à Mathias en débrief du colloque.

- Pour l'heure nous savons que l'origine de la crise n'est pas virale, le port du masque est donc sans effet. D'ici à ce que nous trouvions la cause de la crise, je vous demande de restreindre vos déplacements au strict nécessaire afin de ne pas générer des accidents sur les routes. Il en va de la sécurité de tous. En plus des mesures annoncées par la Ministre de la Santé, des dispositifs d'aide à la vision, développés par une entreprise française, seront disponibles dans un premier temps pour les personnes en ayant un besoin urgent dans l'exercice de leur métier d'intérêt général et les personnes les plus fragilisées. Ces dispositifs seront disponibles dans les hôpitaux et une convocation vous sera envoyée par mail et par courrier. Seule cette convocation pourra vous permettre d'y avoir accès. Si vous ne recevez pas de convocation, il est inutile de vous rendre dans les hôpitaux ou chez votre opticien afin d'assurer la fluidité de service de notre système de soins. Je renouvelle mon soutien total aux équipes de recherche que je sais mobilisées pour apporter des réponses à la crise inédite que nous vivons. Je sais que la nation française est capable de faire preuve de responsabilité et de solidarité. L'heure est à l'union afin d'ouvrir un horizon à nouveau visible de tous. Vive la République et vive la France.

Alix éteint sa télévision. Pas de pression. Alix se replonge dans son ordinateur. Les nuits vont être courtes.

18 mars

Alix a mauvaise mine, les yeux cernés, le teint pâle, les cheveux en vrac. Elle a encore tenté toutes les positions imaginables cette nuit, sans trouver le sommeil. Malgré les encouragements d'Amine, Alix ne trouve pas la motivation de travailler cet après-midi. Elle ne sait plus par quoi recommencer. Elle décide de rentrer, plutôt que de tourner en rond et d'embêter ses collègues avec ses crises existentielles.

Mathias ne l'a pas appelée ce matin. Elle a juste reçu un texto de sa part à 7h30 lui signalant la fin de sa mission avec le gouvernement. Froid. Elle n'a même pas réussi à s'insurger contre le manque de considération du procédé. Le Directeur de l'Institut commence à réfléchir à un communiqué de presse pour conclure la période avec un minimum de grâce.

Elle rassemble ses affaires. Elle a réintégré son bureau et son laboratoire est devenue d'un commun accord du Comité d'éthique, une salle commune, pour conduire des projets pluridisciplinaires. Elle va pouvoir se concentrer sur tous les projets qu'elle voulait proposer dans le cadre du Comité d'éthique, comme essayait de la motiver Amine. Avant le 18 février, elle voulait mener une réflexion sur le rôle du patient dans la prise de décision médicale avec toutes les parties prenantes, médecins, patient, familles, chercheurs, infirmières, secrétaires médicales. Elle réfléchissait aussi à la place que la société civile pourrait avoir dans les choix d'orientation de la recherche des Quinze-Vingts. Mais l'ampleur de la tâche la paralyse aujourd'hui. Elle n'est pas prête. Elle n'a pas encore fait le deuil d'Oculus. Plus tard.

Elle sort de leur étui profilé les lentilles d'Edouard. Celles-ci sont restées quelques jours sur l'étagère de sa salle de bain avant qu'elle ne cède à la tentation de les utiliser. Chaque jour, en se brossant les dents elle revoyait ainsi le regard perturbant d'Edouard. Il y a quatre jours, après avoir s'être lavé les dents, elle a saisi la boîte, juste pour essayer, juste pour voir. Elle s'est longuement regardée dans le miroir afin de vérifier que son regard n'était pas devenu aussi dérangeant que celui des employés d'EyeVision. Une ombre métallisée cercle son iris bleue, sa pupille lui semble plus large que d'habitude. Il s'agit sans doute de l'endroit où se cache la caméra miniaturisée.

Le miroir lui a renvoyée une image flatteuse d'elle-même, comme si elle s'était maquillée. Elle a ôté les lentilles pour retrouver son reflet pâle et fatigué. La caméra ne restitue donc pas une image inaltérée. Au contraire, un filtre est appliqué, comme si le monde entier était passé à travers le traitement d'images des photos toujours parfaitement éclairées des réseaux sociaux. Un monde artificiellement embelli. Edouard ne s'en était pas vanté. Alix imagine que l'addition du filtre est un outil de fidélisation des clients qui préfèrent dès qu'ils l'ont testé voir le monde sous des lumières plus flatteuses. Depuis la mention à demi-mots du Président, la cotation d'EyeVision a explosé. Les gens ont fait des prêts bancaires pour s'en procurer.

Elle s'est résolue à utiliser ses lentilles à des fins pratiques exclusivement. Elle ne laissera pas sa vision du monde être

« révolutionnée » contre son gré par des génies de la technologie. Elle les porte seulement pour faciliter ses déplacements à vélo.

Une fois dans les toilettes de l'Institut, elle ouvre l'étui pour les mettre face au miroir. La lumière blafarde du plafonnier ne se trouve pas modifiée comme les jours précédents. Elle ne parvient pas à distinguer les lettres du panneau d'affichage punaisé sur la porte derrière elle, impossible de déchiffrer les règles d'hygiène du laboratoire. Pourtant elle a chargé ses lentilles la nuit dernière et ce matin elles fonctionnaient. Sans doute un bug momentané qui se corrigera avec le temps, espère-t-elle. Elle relira la notice d'utilisation laissée à la maison.

Alix descend récupérer son vélo et se met à pédaler. Le bug persiste. Elle ne voit rien, du flou, des masses indistinctes, des mouvements d'ombres. Elle s'est si vite habituée à voir à nouveau que la situation la panique, comme si d'un coup quelqu'un avait éteint la lumière. Alix pose un pied par terre manquant d'assurance et pousse son vélo jusqu'au bâtiment le plus proche. Elle respire à grandes goulées pour calmer la vague qu'elle sent monter en elle. Des larmes perlent au bord des yeux. Elle enlève les lentilles et s'écroule. Elle ne voit plus rien, ni le monde autour d'elle, ni de solution à cette crise qui la touche comme tous les autres. Ces dernières semaines toutes ses certitudes ont volé en éclats. Le monde qu'elle s'attachait à décrire, à comprendre par l'étude de l'œil lui est imperméable, incompréhensible, inhospitalier. Alors à quoi bon ? A quoi bon ? Elle se laisse tomber le long du mur, cédant à l'angoisse qu'elle refoulait depuis des semaines, en s'immergeant dans le travail. Et s'il n'y avait vraiment pas de solution ? Et si elle était condamnée à ne plus voir le monde pour toujours ? Il y a tant de choses qu'elle rêve de voir.

Une main se pose sur son épaule. Une grand-mère pliée en deux la surplombe. Elle s'appuie sur une canne pour assurer sa stabilité. Elle approche son visage et Alix y distingue un sourire.

- Quel gros chagrin vous submerge mademoiselle ?

- Je… Je ne vois plus, hoquète Alix.

- Ah bienvenue dans le club ma chère ! Cela fait dix ans que je porte des culs de bouteille sur le bout du nez et que je n'ai de cesse de les égarer. On s'habitue à tout.

- Mais… mais, vous êtes plus…

- Vieille ? Oui, je suis vieille, cela aurait dû vous arriver plus tard, mais que voulez-vous y faire ? Reprenez donc courage et dormez un peu, je crois apercevoir de grands cernes.

- Oui j'imagine que je manque de sommeil, d'autant plus s'il porte conseil.

- C'est ce qu'on dit.

- Merci madame. Et désolée pour…

- M'avoir dérangée dans ma vie trépidante de retraitée bigleuse. Oui, certes. Tâchez de passer une bonne soirée.

- Bonne soirée.

La vieille dame s'éloigne doucement, à pas menus mais décidés dans un brouillard comparable à celui d'Alix. Cette apparition remet en selle Alix, métaphoriquement du moins car elle se contente de pousser son vélo précautionneusement.

*

Alix a fini par arriver chez elle. Blottie sous une couette, une tasse de thé à la main, Alix oscille sur un fil. Elle n'était pas prête pour un tel bouleversement. La pression de la mission que Mathias lui avait confiée avant de lui retirer a été salutaire. Ses propres angoisses sur ses choix de carrière étaient passées au second plan. Elles atteignent enfin la surface. Elle est découragée. Elle ne peut plus, elle ne voit plus. Elle repense aux paroles de la passante. Pour la vieille dame l'ajustement au flou ambiant est probablement plus facile, cela fait dix ans qu'elle n'y voit goutte selon ses dires. Ce fatalisme résolu est propre à son âge, se dit-elle. La grand-mère d'Alix tenait des discours similaires à la fin de sa vie. Mais comment s'y résoudre à son âge ? Cela semble injuste, prématuré, soudain. « Que voulez-vous y faire ? » lui a-t-elle demandée. Alix laisse cette phrase en suspens. Oui, que veut-elle faire ? C'est effectivement la question à se poser. Retourner à ses tâches et à au travail qu'elle s'est choisi, ou mettre son expérience au service de la résolution du Grand Flou ? Elle se rend compte qu'elle est trop impliquée pour renoncer maintenant à mener sa mission à son terme. Alix se redresse. Non, elle ne va pas laisser tomber. Elle a une mission, non plus pour le gouvernement mais pour ses concitoyens.

Elle s'installe devant son ordinateur. Elle a en tête son hypothèse de l'horloge rétinienne perturbée. Si la quantité de lumière perçue par l'œil a été modifiée, qu'est-ce qui peut l'expliquer ? Une altération de l'air que traverse la lumière avant de parvenir à la rétine ? Elle tape dans son moteur de recherche « explication de la modification de la densité de l'air ». Elle ouvre un nouvel onglet. Elle cherche s'il y a un lien avec l'activité solaire. Elle descend sur la page, celle-ci est constellée des mêmes carrés et rectangles blancs. Elle réalise que ce sont tous les endroits où devraient se charger des images. Elle vérifie sa connexion internet, pas de problème de ce côté. F5, elle recharge la page. Le problème persiste.

Elle passe à la section recherche d'images de son navigateur et tape le mot « soleil ». Une myriade de blocks blancs a pris la place des images du soleil. Elle ouvre son compte personnel de photos qu'elle a archivées en ligne. Ne subsistent que des rectangles blancs verticaux et horizontaux. D'un geste brusque, Alix se lève. Que s'est-il passé ? Où sont passées les photos ? Quel est ce bug d'internet ? Est-ce localisé ? Elle cherche fébrilement son téléphone portable et se connecte à son stockage de photos. Il n'y a plus rien. Soufflée, elle s'assied lentement sur son canapé, le téléphone toujours à la main. Elle appuie sur la télécommande de sa télévision. La journaliste en plateau est filmée devant un fond vert sur lequel aucune image n'est incrustée.

- Mesdames, messieurs, bonsoir. Un journal un peu particulier ce soir. Suite à un problème technique, nous ne sommes pas en mesure de vous accueillir dans notre décor habituel. Vous avez donc à cette occasion un aperçu des coulisses de votre journal télévisé. En effet, une panne généralisée des systèmes de stockage d'images s'est avérée toucher l'ensemble des pays du globe. Nous n'avons pas encore de certitude quant à la cause de cette panne, mais nous vous tiendrons informer dès que nous en saurons plus. Notre envoyée spéciale en direct de San Francisco s'est rendue pour nous dans la Sillicon Valley afin de comprendre comment le stockage des serveurs des géants du numérique ont pu faire défaut.

Alix laisse l'envoyée spéciale étaler ses conjectures sans réponse devant son canapé déserté, et va pêcher au fond d'un tiroir de câbles et de clefs USB, son disque dur externe. Elle le branche à son ordinateur et clique sur le dossier « Sauvegarde photos ». Ses épaules se relâchent. Elle pousse un long soupir de soulagement. Ses souvenirs sont intacts. Elle passera les imprimer pour en faire des albums photos papier, sait-on jamais…

30 mars

Alix se lève d'un bond au son du réveil, elle a trouvé plusieurs pistes. Elle teste ses nouvelles théories aujourd'hui. Elle repousse du coude la pile de livres de physique de vulgarisation, qu'elle soit classique, quantique ou astro. Les livres s'éparpillent sur le lit. Celui qui détaille les concepts de la physique quantique reste en suspens sur le bord du matelas, dessus et dehors.

Alix a réintégré le Comité d'éthique dès le lendemain du message de Mathias. Amine a senti qu'elle avait la tête ailleurs, les pensées encore prises par son enquête. Il lui a proposé de finir ce qu'elle avait à faire avant de se plonger à temps plein et à tête concentrée dans ses nouvelles fonctions. Il sait qu'une autre équipe dans un autre hôpital a pris le relais, mais il ne lui en pas fait part. Les médias s'en chargeront. Il a bien compris que la recherche d'Alix devenait métaphysique et n'était plus du ressort d'un Comité scientifique.

Le vélo d'Alix est resté garé en bas de chez elle cette semaine. Elle lui a préféré la marche à pied. Elle a ralenti le rythme pour éviter les collisions mais avec de l'entrainement elle n'a plus besoin de se concentrer autant qu'au début.

Dans la rue règne une certaine confusion. Les piétons concentrés cherchent à tâtons leur prochain pas. De grandes lignes de couleurs ornées tous les mètres d'une tête de flèche ont été tracées par la Mairie sur le sol la semaine dernière pour éviter les collisions. Vert pour aller d'Ouest en Est, bleu pour aller d'Est en Ouest, Jaune pour aller du Nord au Sud et Rouge pour aller du Sud au Nord. Comme Paris n'est pas tracé sur un damier orthogonal, certaines lignes sont doublées, ainsi une double ligne verte et rouge indiquera que la rue va vers le Nord-Est. Ce nouveau code piéton n'est pas encore intégré dans les mœurs et cela occasionne de grandes discussions entre passants pour savoir où tourner.

Aucun véhicule à moteur n'a le droit de cité depuis le décret de l'avant-veille. Les voitures ont été bannies du centre-ville en urgence pour limiter le risque d'accident qui depuis le début de la crise a déjà envoyé des centaines de personnes aux Urgences. Seuls les véhicules équipés de contrôle de vitesse et de distance automatique ont une dérogation pour circuler sur les axes autoroutiers. La bande sonore de la ville se résume aux seules sirènes des ambulances.

*

Alix a rendez-vous à l'université avec un spécialiste en astrophysique, le Professeur Yves Tabin. Elle a une hypothèse à lui soumettre et il a été suffisamment intrigué par son mail pour accepter de la rencontrer. Ils doivent se retrouver dans la cafétéria de l'Université. Alix commande un thé et s'installe à une table ronde et rouge dans la cafétéria encore déserte à cette heure de la matinée. Un homme vêtu d'une veste et d'un gilet, auréolé d'un halo de cheveux blancs s'approche à grandes enjambées. Il semble connaître les lieux par cœur.

- Alix, bonjour ! Yves, se présente-t-il en lui tendant la main.
- Bonjour monsieur.
- Yves, voyons. Alors, qu'est-ce qui amène une spécialiste de l'œil à tourner son regard vers l'espace ?

Alix lui explique ces derniers mois au sein de la mission Oculus et comment elle s'est trouvée impliquée dans le Grand Flou. Yves l'écoute avec une attention soutenue.

- Je me suis aperçue au fil des tests que j'ai pu réaliser sur des volontaires, que leurs yeux ne souffraient d'aucune nouvelle pathologie, du moins d'aucune maladie que nous puissions détecter. S'ils avaient auparavant de la cataracte par exemple, leurs symptômes n'avaient pas évolué depuis le 16 janvier. Je me suis aperçue que leur œil n'était tout simplement plus en mesure d'accommoder, l'image ne venait jamais se fixer au bon endroit. Ce n'était pas lié à une partie de l'œil en particulier. C'était plus comme un dérèglement généralisé. Et l'image qui se fixait sur la rétine était toujours floue.

- Mais comment est-ce possible ?

- Je ne sais pas, en tout cas la biologie n'apporte pas de réponse en l'état actuel de nos connaissances scientifiques.

- Alors vous vous tournez vers d'autres disciplines… compléta Yves.

- Tout à fait. J'ai relu mes cours de physique et j'ai lu tout ce que j'ai pu trouver sur le sujet.

- Quelle est votre hypothèse ?

- Et si le monde était devenu flou ? Alix laisse l'idée planer entre eux deux en espérant qu'elle trouvera une résonance chez le chercheur.

- Ah c'est une hypothèse intéressante, oui, intéressante. Hum, il faudrait y réfléchir.

Alix est soulagée, Yves ne lui a pas opposé un refus. Elle poursuit, encouragée par les yeux brillants de curiosité d'Yves.

- Donc ce ne sont pas nos yeux le problème, mais le monde lui-même. Le monde est flou et nos yeux ne peuvent accommoder pour le voir de façon nette. Comme si le monde cherchait à nous échapper. La question change entièrement. Comment le monde pourrait être devenu flou ? Je me suis d'abord demandé s'il était possible que la densité de l'air ait été modifiée, provoquant une modification de ses propriétés qui entrainerait un blocage à la propagation de la lumière. J'ai cherché à voir les causes possibles, comme l'altitude, le trou de la couche d'ozone, …
- Et vous avez été voir du côté du soleil, poursuit Yves.
- Oui.
- Et vous n'avez pas trouvé.

- Non, car je n'ai pas les cadres de pensée pour savoir où chercher.

- Alix, connaissez-vous les ondes gravitationnelles ?

- Je les ai rencontrées dans mes recherches.

- Les ondes gravitationnelles sont le symptôme de la rencontre de deux corps, deux trous noirs, qui génèrent alors une puissance comparable à la puissance de toutes les étoiles de l'univers observable ! La collision de ces deux corps génère une perturbation telle dans leur environnement, qu'en résulte une déformation de notre espace-temps. On pourrait donc imaginer qu'une collision plus importante ait eu lieu et ait ainsi créé une perturbation plus longue, qui trouble jusqu'à notre œil.

- Oui c'est ce genre d'explication que je cherchais.

- Malheureusement je ne vais pas pouvoir, comme vous vous en doutez, confirmer ou infirmer cette hypothèse tout de suite. Il faudrait pouvoir rassembler une équipe et concevoir un dispositif expérimental et enfin avoir une deuxième équipe de chercheurs dont le travail confirme celui du premier groupe. Et je crains que cela prenne des années. La science ne peut plus vous aider à ce stade Alix.

- Oui je comprends, c'est un peu ce que j'avais en tête. Mais… l'idée ne vous semble pas farfelue ?

- Pas plus que la théorie de la relativité générale ne l'était, dit en souriant Yves.

- Donc il y a un espoir.

- En attendant, il faudra trouver des solutions pour s'en accommoder.

4 avril

Sur le bureau d'Alix traine le journal qu'elle a parcouru en diagonal au-dessus de son plat de lentilles de midi. Le scandale de l'escroquerie d'opticiens véreux fait la une du journal. Voyant les queues s'allonger devant les cabinets d'ophtalmologie, certains ont vu une opportunité de faire affaires. Ils ont décidé de monter une chaine de revente de lunettes baptisée « Une paire chacun » fournissant sur place un examen médical. Les gens n'ont donc plus à prendre un rendez-vous chez l'ophtalmologue six mois à l'avance pour obtenir une ordonnance. Ils peuvent se rendre directement dans le magasin et passer en cinq minutes les tests d'usage, certes non pris en charge par le système de santé, mais ô combien plus pratiques. Ils repartent une heure plus tard avec une paire de lunettes. La chaine de magasins dotée d'une telle offre s'est propagée sur tout le territoire en l'espace d'un mois. Plus de cinquante pour cent de la population s'est ainsi fournie en lunettes chez Une paire chacun. Les ennuis ont commencé lorsque le service après-vente s'est avéré inexistant. Et la demande était forte ! Les verres n'étaient pas de bonne qualité et après un mois d'utilisation, il devenait difficile de voir quoique ce soit à travers les rayures. Autant les enlever pour retrouver le flou. Aussi rapidement que les magasins ont ouvert, ils ont fermé à un rythme effréné. Avant que les associations de consommateurs n'aient le temps de se saisir du dossier, la société était liquidée et les dirigeants, si populaires la semaine précédente, s'étaient envolés. Même si de tels comportements sont prévisibles, ils dépriment Alix immanquablement.

*

Elle fait une halte chez son opticien avant de rentrer. La boutique ne désemplit pas, même à 18h, bien au contraire. Les gens échaudés par le scandale de la chaine Une paire pour tous, se sont tournés vers leurs opticiens de famille. Le gouvernement a créé de grands centres d'ophtalmologie aux processus dignes des chaines d'assemblage les plus cadencées. Les patients sont enregistrés à l'arrivée.

L'ensemble des informations de santé liées à leurs yeux sont numérisées. Le passage devant l'ophtalmologiste dure moins de 3 minutes et consiste en une série de tests chronométrés. L'ordonnance est directement transmise à l'opticien signalé lors de l'enregistrement. Afin d'augmenter le débit, le gouvernement a appelé à la création de cursus de professionnalisation accélérée. Ces mesures n'ont pas plu à la profession, dont les efforts depuis le début de la crise ne leur paraissent pas reconnus à la hauteur de la longueur de leurs journées.

 Son opticien l'accueille d'un sourire fatigué. Il lui a fait fabriquer des lunettes en cul de bouteille en urgence.

- Désolée Alix pour la taille des verres, cela risque d'être moins confortable que vos lunettes actuelles.
- Le confort aujourd'hui c'est de voir, peu importe le poids. Ne vous en faites pas.
- Oui, malheureusement nous n'avons plus le temps d'amincir les verres, d'autant que les

usines qui les fabriquaient ont changé d'orientation stratégique disons.

- C'est-à-dire ?

- Tous nos fournisseurs dans la vallée du Jura se sont fait racheter. Certains ont tenté de résister mais on leur a fait comprendre que soit ils obtempéraient, soit c'était la porte, alors forcément...

- Mais qui sont ces « ils » dont vous parlez ?

- On n'est pas bien sûr. Apparemment, ce sont des sociétés qui appartiennent à de gros conglomérats. Un journaliste est en train de faire une enquête d'après un confrère.

- Vous vous rappelez son nom ? demande Alix intriguée.

- Un certain Julien Carbane, Corval...

- Julien Corbale.

- C'est ça. Vous le connaissez ?

- De réputation.

- Enfin, toujours est-il que désormais seuls un petit nombre a accès aux verres amincis, on les trouve uniquement sur les nez de ceux qui ont du réseau et de l'influence... La finesse du verre est devenue un signe extérieur de puissance !

- Aïe, je crains que ma monture en dise alors plus sur moi que je ne l'imaginais ! rigole Alix en chaussant ses verres épais.

14 avril

Alix est sortie se ravitailler en pâtes et en papier toilette. Elle a trouvé les rayons bien vides. Depuis le bug des serveurs des géants de l'Ouest Américain, la crise est passée dans une seconde phase qui frôle la panique généralisée. Les produits périssables ont ainsi migré des rayons des supermarchés aux étagères à présent surchargées des citoyens précautionneux. Les marchés financiers ont réagi de façon similaire et n'y voient plus rien. L'être humain n'est décidément pas adapté à l'incertitude, malgré les injonctions à la nouveauté et au changement, prônés par tout service marketing.

Sur le chemin du retour Alix croise la route de la « marche citoyenne pour la vue » annoncée depuis quelques jours par les journalistes. Le cortège progresse en longs rubans sinueux le long du boulevard. Les gens se tiennent à des cordes à nœuds parallèles pour prévenir les chutes de parcours. Les gilets d'un orange fluo bordent le serpentin d'un côté et de l'autre. La foule ondoyante émet une énergie électrisante. Les gorges sont déployées à l'unisson face à la perte d'un sens sans en comprendre le sens. Il y a quelques siècles on aurait invoqué une punition divine. Qu'invoquer dans un monde athée ? Le déboussolement a débordé quand leurs images qu'ils pensaient en sureté dans le nuage leur ont été prises.

Alix patiente, en observatrice, sur le bord du trottoir. Une main sortie du cortège saisit la sienne et l'entraine sous les bras des gilets oranges. Un visage lui sourit en signe de bienvenue et lui tend une pancarte où les lettres s'étalent, énormes. « Echec et mat pour les astigmates » Alix explose de rire. Elle regarde sa créatrice, une dame d'une cinquantaine d'années, aux cheveux coupés ras, qui la regarde l'œil malicieux. D'un tour de poignet sec, elle tourne le panneau qu'elle tient devant elle : « Tous des taupes », le tout orné d'une image de l'animal myope. Le sourire d'Alix se déploie d'une oreille à l'autre. Un sentiment de communion la submerge. Depuis combien de temps n'a-t-elle pas ri ? Le contact d'autres humains lui a manqué. Elle s'est coupée de tous ses proches au début de sa mission pour le gouvernement et elle s'aperçoit à cet instant qu'elle n'a fait encore signe à personne de son retour au monde, en dehors de ses sms « Toujours en vie ! ». Perdue dans ses pensées, elle percute un homme d'une trentaine d'année qui ne s'est pas accroché à la corde à nœuds mais navigue entre les fils. Alix plisse les yeux. Oui, c'est bien lui.

- Pardon, je ne faisais pas attention.
- Pas de mal, il faudrait porter des chaussures de chantier pour faire ce métier en ces temps de myopie, plaisante Julien Corbale.

Muni de son calepin, il la dévisage un instant, avant de reprendre sa pose professionnelle, son stylo prêt au départ se pose sur le papier.

- Que pensez-vous de l'action gouvernementale ?
- Le gouvernement navigue à vue !

Alix a hésité suffisamment longtemps, bouche ouverte en quête d'inspiration, pour que sa voisine s'engouffre dans la question.

- Cette crise est un long, trop long spectacle d'impro ! Et maintenant nous n'avons même plus nos photos à regarder au zoom pour ne souvenir du monde d'avant le 16 janvier. Ma voisine s'est cassée le bras dans l'escalier, elle n'arrive plus à voir à la distance de ses pieds, alors forcément elle loupe des marches, poursuit-elle.

Julien s'est détourné d'Alix et griffonne intensément. Il s'approche de son interlocutrice pour mieux l'entendre en-dessous du chœur des manifestants qui reprennent les slogans des pancartes : « Plus d'espoir de voir », « Make our planet visible again ! », « Le gouvernement navigue à vue ! ». Un manifestant lance un « Il est flou Afflelou » inspiré au passage d'un de ces magasins. Alix se laisse porter par la cohésion. Une idée germe dans sa tête.

18 avril

Julien Corbale raccroche. Le journaliste se frotte le front de l'index et repose son stylo. La correspondante à Londres lui a raconté les mêmes scènes de contestation de la population. Cela fait plus de deux mois, depuis le Jour du Grand Flou. C'est lui qui a trouvé l'expression, il aurait pu être cité dans des copies de baccalauréat, si les élèves ne voyaient pas aussi flou que leurs enseignants. A Londres, comme dans tous les pays du monde, les habitants après avoir tenté de s'ajuster pendant des mois sans comprendre ce qui leur arrivait, ont entamé un repli sur eux-mêmes. Ils ont limité leurs déplacements à force d'entendre le décompte des accidents de la route et le gouvernement a entériné des mesures de télétravail. Les supermarchés ont été vidés de tout le stock qu'ils avaient. Il a fallu une semaine pour que les rayons retrouvent un achalandage classique, malgré les quelques inversions de produits d'employés fatigués d'avoir tant plissé les yeux sur les références produits. Certaines personnes harassées de ne plus voir ont fait soudainement des crises de panique dans la rue et harangué les passants de désespoir. Ces derniers occupés par leur propre perte de vue s'arrêtaient peu. Aveugle et invisible. Les tensions étaient palpables, l'air irrespirable, jusqu'à la manifestation de la veille, où les gens s'étaient organisés pour crier tous ensemble leur déroute, un cri en commun avant le brouillard total.

Julien a couvert tous les épisodes sur le terrain. Sa première vraie enquête au long cours de sa courte carrière de journaliste. Il a couvert les queues devant les cabinets d'ophtalmologie, l'arnaque d'Une paire pour chacun, les rachats dans le Jura et la popularité soudaine et éphémère d'EyeVision. Il se sent investi d'une mission, rapporter le plus fidèlement possible chaque instant de cette crise historique. Son téléphone le sort de ses rêveries éveillées.

-   Julien ? Il y a quelqu'un pour toi à la réception. Elle dit avoir des informations à révéler sur le

Grand Flou. Un truc comme Oculus... J'ai pas tout saisi.

- Tu as un nom ?
- Une certaine Alix Duffet. Je lui dis de monter ou tu viens la chercher ?
- Attends, je la recherche sur internet. Ah oui, intéressante ! J'arrive !

A la réception l'attend sur le canapé une jeune femme du même âge que lui, portant des lunettes aux verres épais et un pantalon vert. Elle se lève à son approche. Oui il l'a déjà vu quelque part, à la manifestation hier. Une fois installés à la cafétéria, il lui demande ce qu'il peut faire pour elle.

- Merci de me recevoir déjà. Je suis chercheuse, enfin, j'étais, bref, je suis spécialiste de l'œil aux Quinze-Vingts.
- Avez-vous trouvé une explication au Grand Flou ?

Julien sent qu'il tient un scoop. Il n'a même pas eu à aller le chercher, il lui est livré directement au bureau. Alix a longtemps hésité à venir. Simon l'a poussée à suivre son instinct, convaincu par l'idée farfelue de son amie. Il n'est plus temps de faire machine arrière, il fait que les médias s'emparent de son hypothèse.

- Non, justement. Avec mon équipe, nous avons passé le dernier mois à chercher à comprendre le phénomène sans succès.

- Vous faites donc partie du Comité Scientifique dont parlé pour la première fois le Président le 3 avril ?

- Oui, oui, enfin plus mon équipe en tout cas. Peut-être une autre.

- Comment ça ? Vous ne travaillez plus dessus ?

- Si, enfin, ce n'est pas le sujet. Je souhaite vous faire part d'une nouvelle hypothèse, dévie Alix, qui sait n'avoir plus rien à perdre. Et si ce n'étaient pas nos yeux le problème, mais le monde autour ? Et si le monde était devenu flou ?

- Pardon ?

- Oui, nous n'avons rien décelé d'anormal dans les yeux des patients que nous avons examiné, si ce n'est qu'ils ne font plus la mise au point, l'image qui s'imprime dans le cerveau est juste floue.

- Vous avez dit à la personne de l'accueil que vous vouliez me parler d'Oculus. Qu'est-ce qu'Oculus ?

- Ah, c'est le nom de code de la mission que le gouvernement avait confié à mon équipe. C'était confidentiel à l'époque. Elle a été rebaptisée « Comité Scientifique » ensuite. Mais le plus important aujourd'hui c'est de lancer un appel à la communauté scientifique sur cette nouvelle hypothèse…

- Et comment fonctionnait Oculus ? la coupe Julien.

- Euh, je ne vois pas ce que vous voulez savoir, répond Alix désarçonnée, mais ce n'est pas la raison de ma venue…

- Attendez, qui vous avait contacté au gouvernement ? Depuis quand connaissiez-vous la crise ?

Alix ne comprend pas pourquoi Oculus intéresse tant le journaliste, après tout ce n'était qu'un comité scientifique rassemblé par un gouvernement pour être conseillé. Qu'y avait-il de si fascinant ? Après quinze minutes d'entretien dont Alix ne maitrise plus le cours, elle prétexte un autre rendez-vous pour s'extraire du malaise qu'elle éprouve. Par politesse elle laisse son numéro de téléphone « au cas où Julien aurait d'autres questions ». Elle ne le rappellera pas. A quoi bon ? Il n'a pas du tout compris la portée de la révélation qu'elle lui faisait. Alix décide de rentrer au laboratoire, au moins là-bas elle a une chance d'être entendue et comprise.

*

Ce soir-là, la météo s'altère juste à l'heure où Alix décide qu'il est temps d'aller coucher son cerveau. Même si elle a réussi à convaincre Amine de la validité de son raisonnement, la conversation fut houleuse, difficile en effet de convaincre un homme de sciences que sa discipline ne peut pas expliciter le monde et ses crises.

Elle est détrempée avant même d'avoir atteint la place de la Bastille. Au coin de chacune des rues qui rayonnent autour de la place elle distingue une échelle et deux hommes, le tout éclairé par un spot de chantier. Elle s'arrête à la jonction avec le boulevard Richard Lenoir. L'homme perché sur l'échelle finit de dévisser la plaque de rue, la tend à son compagnon en échange d'une plaque deux fois plus grosse. La ville s'adapte déjà. Toutefois, les plaques des rues risquent de finir par recouvrir l'ensemble du mur, si les dioptries continuent de dégringoler.

20 avril

Son portable vibre sur la table ronde de la cafétéria. Alix ne décroche pas, son regard vissé à l'écran de son ordinateur. Cinq appels depuis midi. Julien a de nouvelles questions, lui dit-il sur sa messagerie, il voudrait poursuivre leur discussion. Leur dernière a laissé un goût amer à Alix, qu'elle ne s'explique pas. Le téléphone vibre à nouveau. La fréquence des appels se resserre. Simon installé à côté d'elle soupire bruyamment.

- Bon, Alix, tu décroches ou j'éteins ton portable !
- Ok, ok, je le mets en silencieux, dit Alix sans esquisser un geste.

Une jeune femme survoltée vient se planter à côté de leur table dans la cafétéria déserte.

- Bonjour ! Je cherche Alix Duffet, on m'a dit que je la trouverai ici.

- Oui, c'est moi, dit Alix en lâchant enfin son écran.

- C'est toi qui gère la mission Oculus ?

- Euh oui, gérais. Je ne suis plus dessus.

- Ah, ok, la jeune femme marque une hésitation avant de reprendre avec autant d'entrain qu'auparavant. J'ai trouvé une solution au problème de vue de la population. Tu connais le principe du biomimétisme ? S'inspirer du vivant pour en tirer des applications technologiques ?

- Oui, je connais le principe, répond patiemment Alix. Mais tu ne nous as pas dit qui tu étais.

- Oh, oui, désolée, je suis tellement contente de t'avoir trouvée que j'en oublie mes bonnes manières. Mathilde Léautry, je suis enseignante chercheuse en école d'ingénieurs.

Alix présente Simon, comme membre émérite d'Oculus. Mathilde lui serre la main, une seconde perturbée par la quantité d'yeux qui la fixent depuis la chemise de Simon, avant de tirer une chaise et s'asseoir avec eux. Même assise, son excitation est palpable. Elle ne tient pas en place, elle s'agite, impatiente de dévoiler ce qu'elle est venue présenter à Alix.

- Dis-moi, propose Alix, une tasse de thé en main.
- J'ai trouvé une nouvelle façon d'imiter les ultrasons des chauves-souris !
- D'accord, mais ça n'existe pas déjà ? demande-t-elle avec précaution.
- Si, il y a déjà eu des tentatives de création de robots, de capteurs intelligents. Là ce que j'ai développé avec mon équipe, c'est un dispositif qui permet de voir à nouveau, sans lunettes. Tu veux que je te fasse une démonstration ? Tu as l'air sceptique…
- Non, intriguée, j'essaie d'imaginer comment ça pourrait marcher. Ton dispositif envoie un signal

ultrason autour de la personne. Le signal butte sur un obstacle et revient. Ton dispositif te permet de calculer la distance à l'obstacle.

- Bien plus que ça, ça permet de recomposer un monde en relief !
- Mais chez une chauve-souris le traitement est fait par le cerveau de l'animal. Comment tu fais ?
- C'est la partie la plus folle…

Le téléphone d'Alix sonne à nouveau. Simon roule des yeux. Alix ne l'a pas éteint tout à l'heure. Elle s'excuse et vérifie rapidement l'écran avant de le mettre en silencieux. Ô surprise, ce n'est pas Julien. Elle décroche.

- Mathias ?
- Alix, tu as la télévision allumée ?
- Non je suis à l'Institut. Je peux te rappeler plus tard ?
- Non, tu ne peux pas. Tu m'expliques la source anonyme de la communauté scientifique que

Julien Corbale vient de citer à la télévision ?
N'essaye même pas de te dédouaner cette fois,
vu les informations, ça ne peut venir que de toi !
Mais tu pensais à quoi ?

- Non, mais attends, je peux t'expliquer, réplique
Alix en se levant. Oui je suis allée le voir…

- Quoi ? Tu ne t'es même pas faite piégée, tu y es
allée de ton plein gré !

- Si je me suis faite piéger, je voulais diffuser une
nouvelle hypothèse, mais il ne m'a pas écouté et
à la place il m'a posé toutes ses questions
inintéressantes, je n'ai pas compris ! se justifie-t-
elle en déambulant entre les tables de la
cafétéria. Si je t'ai fait du tort c'était bien contre
mon gré !

- Mais que tu es naïve, c'est un journaliste ! Bien
sûr que face à une telle aubaine, il allait en
profiter, c'est son boulot !

- Mais écoute moi, j'ai une nouvelle piste,
annonce-t-elle en s'arrêtant, c'est plutôt ça la
bonne nouvelle, non ?

- Je ne veux plus t'entendre.

- Et si le monde était flou ? lance Alix à la volée.

- Bonne journée.

Mathias raccroche sans même lui laisser l'occasion de s'expliquer, sans vouloir comprendre. Elle sait qu'il est inutile de le rappeler pour tenter d'avoir une vraie discussion. Il ne répondra pas. Il ne l'écoutera pas.

Voilà l'explication de ce goût amer qu'elle éprouve depuis son entrevue avec Julien : un avant-gout de trahison. A chaque vibration de son téléphone, elle éprouvait un pincement de culpabilité qui l'empêchait de répondre à Julien.

Alix se tourne vers son collègue. Simon a compris. Alix va récupérer son thé et sirote le liquide tiède pour dénouer sa gorge.

- Ça va Alix ? lui demande Mathilde qui n'a pas suivi ce qui vient de se passer.

- Bon, il semblerait que le contact soit définitivement rompu avec la personne en charge d'Oculus au gouvernement. Même si je pense que votre idée est ingénieuse, je ne vais pas vous être d'une grande aide, au contraire je crains que tout projet qui me soit associé ne soit pas bien reçu.

- Oh, vous ne voulez pas que je vous fasse la démonstration quand même ?

- Si, bien sûr, se reprend Alix en se raclant la gorge. Curieuse de voir comment vous avez résolu l'interaction entre votre dispositif et le cerveau humain.

Mathilde reprend de plus belle son explication et lui propose de tester le dispositif. Outre l'intérêt du procédé, cela lui offre une distraction salutaire.

*

Simon a organisé une soirée surprise pour toute l'équipe Oculus dans un bar de la rue de la Lappe, à côté de l'Institut. Tout le monde a répondu présent, en souvenir du mois d'enquête passé ensemble. Les montées d'adrénaline ne sont pas si fréquentes dans leur vie de chercheurs, où la patience et la persévérance sont des qualités clefs pour des découvertes qui peuvent prendre des années. Cette période a représenté une parenthèse euphorisante bien que stressante. Ils ont tous eu l'impression de vivre un moment charnière pendant lequel ils avaient la capacité collectivement d'influer sur le monde. Depuis qu'Oculus a été dissout sans sortie de crise véritable, le moral est en berne. Ils sont retournés à leur ancien rythme, à leurs recherches, toujours aussi porteuses d'avancées scientifiques et médicales, mais beaucoup moins au cœur de l'actualité. Amine s'est donc joint à eux et se réjouit de l'initiative pour remobiliser l'équipe qui commence à avoir une influence négative sur l'ensemble des chercheurs de l'Institut.

Simon les accueille, les bras grands ouverts, vêtu d'une chemise de circonstance, ornée d'instruments de musique. Le bar s'est spécialisé dans les blind tests depuis l'annonce présidentielle du 15 mars, sans doute plus inoffensif que les jeux de fléchettes.

- Merci Simon d'organiser ça, le félicite Amine, excellente initiative. Par contre je ne vais sans doute pas pouvoir rester longtemps.

- Aucun souci ! le rassure Simon, en lui indiquant la table réservée « 15-20 ». Ça fait plaisir de vous voir hors des murs blancs d'un laboratoire !

- Ah super ! s'écrit Adélaïde, la généticienne spécialisée dans l'étude de la DMLA, on va pouvoir vous posez plein de questions !

- Laisse-le s'installer, proteste Stéphane. J'offre la première tournée. Qui veut quoi ? Alix, un thé ?

- Ah non, cette fois-ci ce sera une pinte !

Ils s'installent autour d'une longue tablée sur laquelle sont disposés des crayons à papier et des feuilles de marque pour noter les chansons. Le blind test démarre dans une ambiance survoltée. Elif, Louis, Nathanaël, Maud, Guneet et Lucy ont constitué leur propre équipe, « les Oculus PhD » et devinent coup sur coup les chansons. Quelques notes de piano suivi de « at first I was afraid » et ils bondissent : I will survive !

- Il me manque le nom de l'artiste pour valider le point, demande l'animateur.
- Gloria Gaynor ! s'exclame Amine, avant de rougir jusqu'aux oreilles.

Amine est d'un naturel discret. Il a œuvré en coulisses pour arrondir les angles médiatiques de la crise Oculus. L'image des Quinze-Vingts n'en est pas sortie écornée, bien au contraire. La couverture journalistique du colloque Oculus a permis de révéler l'Institut comme centre de coopération scientifique et médicale internationale sous le patronage de l'OMS. Les médecins de l'Hôpital collectent désormais les données de pertes de dioptrie du monde entier. Leurs statistiques font référence dans le monde entier et la presse se base sur cet étalon. Pour le moment, on semble avoir atteint un plateau à -5 dioptries.

- Vous n'allez pas me croire, annonce Simon en revenant des toilettes. A la table du fond j'ai entendu un type expliquer droit dans ses bottes ce qu'était le puctum remotum !

- Alors ? demande Stéphane.

- La distance où un œil voit net et sans effort d'accommodation !

- Tout juste, toute la population est devenue experte en ophtalmologie.

- Au point que le barman m'a assurée que la chirurgie laser allait tous nous sauver… nuance Alix. Il y passe dans une semaine, m'a-t-il dit.

- J'espère que son chirurgien a de bonnes focales ! s'esclaffe Simon.

- Tous des taupes ! renchérit Alix le point levé, en imitant la manifestante de la semaine dernière.

- On devrait changer toutes les emblèmes nationaux, adieu le coq, bonjour la taupe. Enfin un signe de ralliement universel !

- Ou la chauve-souris, complète Simon, en faisant un clin d'œil à Alix.

11 mai

Il est 22h quand la sonnerie de l'interphone retentit. Alix émerge de la lecture d'un article sur la démocratie sanitaire que Johannes, le chercheur de Lausanne, lui a partagé.

Ce ne peut être que lui à cette heure-ci. Elle scanne la pièce rapidement, rien à cacher sinon du papier sous toutes ses formes, accompagné de tasses de thé.

- Oui, entre, deuxième étage gauche.

Alix démarre la bouilloire, sort deux tasses et fait de la place sur la table basse. Un faible coup à la porte signale son arrivée. Alix déverrouille la serrure et laisse entrer Mathias. Il murmure un bonsoir fatigué avant de s'effondrer sur le canapé. Alix verse l'eau chaude.

- Je t'écoute.

- Oui, hum, désolé pour l'autre jour, dit Mathias en se redressant. Je suis un peu sous pression. Mon poste ne tient plus qu'à un cheveu. Je sors de 3 jours de sommet multilatéral avec les membres de l'OCDE. Je suis lessivé. Le pire, c'est qu'on n'a pas avancé. Un exercice 100% vain. Pas l'ombre d'une solution de sortie de crise.

- Oculus ?

- Non, enfin en partie. Le bug du stockage d'images. Plus vraiment un bug d'ailleurs, mais plutôt une panne généralisée et sans réparation possible, il semblerait.

- Tu veux dire que l'humanité a perdu d'un coup toutes ses images stockées dans les serveurs.

- Oui, j'en ai bien peur. Ils étaient tous interconnectés. On n'arrive pas à comprendre comment les serveurs de secours ont pu aussi lâcher.

- Est-ce que la solution de ton copain de promo Edouard n'y est pas pour quelque chose ? C'est ce que j'ai cru comprendre aux infos.
- Si, répond d'une petite voix Mathias.
- Une association de consommateurs s'est déjà constituée pour l'attaquer en justice.
- Je sais.
- Il faut dire qu'il avait réussi à contourner la neutralité du net et à dépasser les services de streaming en ligne de séries en termes de bande passante !
- Tu as mémorisé le journal télévisé par cœur ?
- Juste une citoyenne concernée.

Mathias n'ose pas la regarder dans les yeux. Il boit une gorgée de thé et se brûle la langue.

- Ah oui, le thé c'est chaud, ironise Alix. Cela nécessite un peu de patience.

- Hum, dis Alix, je voulais te dire. Enfin, Je suis désolé de la façon dont on s'est quitté. Professionnellement je veux dire. Je ne me suis pas bien comporté, je me suis un peu laissé emporter. Le feu de l'action sans doute. Manifestement je ne résiste pas aussi bien au stress que je l'imaginais.

- Désolée d'avoir été dure. Les techno-enthousiastes ont le don de me faire sortir de mes gonds. Mais ce n'est pas une raison.

- Tiens, tu fais des rimes.

- Haha, oui pendant que tu deviens revendeur de lunettes high tech, moi je vire dans la poésie.

- Euh, et la science ?

- Ça va de pair. Plus sérieusement, je pense que nous avons cherché dans la mauvaise direction. Il ne fallait pas regarder l'œil mais ce que voit l'œil, le monde.

- Oui donc tu t'es recyclée dans la philosophie, après la poésie.

- Je suis sérieuse. Nos yeux n'ont pas de problème clinique. Il aura fallu toute une équipe de chercheurs pour aboutir à une absence d'explication. Non, nos yeux voient comme avant, mais le monde est devenu flou.
- Dire que Julien n'a pas voulu de ton hypothèse ! dit Mathias narquois.
- Haha, très drôle. Non, il a arrêté de m'appeler à la longue. N'étant plus impliquée dans Oculus, j'ai dû perdre toute valeur journalistique.

Alix lui raconte son long entretien avec le professeur d'astrophysique. L'espoir d'une explication du phénomène n'est pas tout à fait éteint, mais pas pour tout de suite.

16 mai

Alix navigue à l'aveugle. Heureusement que son appartement n'est pas grand et qu'elle le connaît par cœur. Elle a hésité à munir le coin de ses meubles d'arrondis. Mais une fois au magasin de bricolage, elle a trouvé les rayons vidés. Le vendeur occupé à renforcer la signalétique du magasin avec des bandes fluo lui a confirmé la rupture de stock sans visibilité de réapprovisionnement. Elle se débrouille donc sans.

Il y a une semaine, le gouvernement a fait voter une loi obligeant les employeurs à proposer au moins quatre jours de télétravail par semaine. Seules les réunions essentielles doivent être maintenues sur le lieu de travail afin de limiter les déplacements qui pourraient occasionner des carambolages. Le reste des interactions entre collègues se fait par téléphone. Les équipes de production restent actives, mais leurs horaires sont décalés pour éviter les arrivées massives dans toutes les usines aux mêmes heures.

La loi concerne finalement surtout les emplois de bureau. La comptable de l'Institut travaille maintenant depuis chez elle, tout comme son mari. Elle lui a confiée ne s'y être pas encore habituée. Ils n'ont jamais passé autant de temps ensemble, mis à part pendant les vacances et la cohabitation en appartement se révèle plus compliquée qu'anticipée. Elle déploie des trésors de diplomatie en attendant une hypothétique sortie de crise.

Le téléphone d'Alix sonne. Stéphane a pris l'habitude de l'appeler une fois par semaine pour vérifier que tout va bien depuis qu'elle a été congédiée par Mathias. Cette découverte amicale est l'une des rares conséquences positives de cette crise dans la vie d'Alix.

- Salut Stéphane, quoi de neuf ?
- Hello, oh tu n'as pas vu la dernière nouvelle ?
- Le télétravail ?

- Non, non, l'interview du Ministre de l'Enseignement supérieur hier au JT.

- Je dois avouer m'être un peu déconnecté. Ça fait un bien fou !

- J'imagine, après avoir mangé, respiré, dormi, rêvé Oculus pendant des semaines ! Il a annoncé l'arrêt des cours magistraux pour, je cite, « diminuer le stress visuel des étudiants ». La pratique de l'oral et l'utilisation massive des supports écrits existants - les manuels de cours et les impressions complémentaires – sont à privilégier.

- C'est donc notre monde flou qui aura réussi à venir à bout des cours magistraux…

- Ah oui, j'oubliais que tu n'étais pas une grande fan.

- Tu vas faire quoi du coup ?

- La Directrice de l'Université nous a proposé de poursuivre les sessions de travaux pratiques dans les locaux et de passer tous les cours magistraux en vidéo.

- Tu te lances dans les MOOCs ?

- On dirait bien ! Du coup je passe des heures devant une caméra à enregistrer mes cours face à un amphithéâtre vide.

- Plus d'interruption, juste du savoir à l'état brut ! le taquine Alix. Tu dois être ravi !

- Figure-toi que les étudiants me manquent... Je ne m'y attendais pas, dit Stéphane en rigolant.

- Il n'y a pas une partie chat sur ton MOOC ?

- Si, on est invité à faire « interactif ». Les informaticiens ont sorti les fonds verts et on doit rendre les vidéos visuelles et ludiques, tout un programme.

- Oh ne sois pas ronchon.

- Par contre, j'ai fait une erreur magistrale.

- Diantre, ça a l'air sérieux.

- J'ai donné mon adresse mail à mes étudiants, répond Stéphane en se ménageant une pause dramatique. Je me noie sous les questions, un déluge !

- Ha ha ha, au moins tu es assuré de ta côte de popularité !

- Ou alors c'est qu'ils ne comprennent rien, et là je dois me poser des questions sur mes capacités pédagogiques… Ah je te laisse, je dois passer au maquillage avant la prochaine prise. Non, je rigole. A bientôt.

- Bonne prise !

Alix ne peut plus procrastiner. Elle finit par s'installer devant son ordinateur. Elle doit rédiger la postface du livre collectif sur Oculus, l'enquête scientifique internationale. Maximilien Van Peetersen de l'OMS veut le publier avant début juin. Sitôt assise, elle se relève pour faire un thé. Elle sait ce qu'elle veut partager : elle va modifier le regard de ses contemporains, faire changer de perspective sur Oculus. Nous ne voyons pas flou, le monde est devenu flou. Fou.

Finalement elle décide de faire la vaisselle qui traine. Son texte peut attendre cinq minutes après tout. Elle allume la radio. Les bâtiments des radios sont désormais vides, chaque présentateur d'émission a pu installer un mini studio dans son appartement et les invités ne se déplacent plus. Ils sont joints par téléphone. Sylvie Viaux, historienne, médiéviste reconnue, est interviewée dans l'émission de 14h.

- Je pense que la crise que nous traversons a toutes les caractéristiques que nous jugeons aujourd'hui comme « extra-ordinaires », c'est-à-dire qui sortent de l'ordinaire, mais qui dans quelques siècles paraitront banals. Quand on pense à la crise sanitaire majeure que traversa le Moyen Âge, à savoir la peste bubonique, cela nous semble évident aujourd'hui que c'était une maladie contagieuse transmise à l'homme par les rats. Ce n'était pas une punition divine comme pensaient les humains du Moyen Âge. Les avancées scientifiques nous permettent aujourd'hui de l'affirmer. A l'époque ce n'était pas entendable, toute personne qui se serait risqué à une telle explication hypothétique aurait été accusée de sorcellerie. Peut-être que le Grand Flou trouvera lui-même une explication dans les siècles à venir, qui sait ?

- La science ne permet pas à ce jour d'expliquer ce qui nous arrive, mais est-ce un discours audible pour nos contemporains ? l'interrompt le journaliste.

- Sans doute pas. Mais nous n'avons pas le choix. En attendant nous allons essayer de trouver des solutions.

- Vous pensez à Edouard Valant et sa solution EyeVision ?

- Oui par exemple. Au Moyen Âge, des médecins avaient imaginé que le corps était sujet à des humeurs positives et négatives. Quand l'équilibre était rompu, la personne tombait malade. Il fallait alors retrouver un équilibre en effectuant une saignée pour évacuer ces humeurs négatives. Aberrant pour tout médecin moderne.

- Merci pour ces éclairages, Sylvie Viaux. C'était Temps long, une émission d'histoire pour éclairer notre temps.

Alix coupe la radio, les mains encore savonneuses. Les paroles de l'historienne raisonnent dans sa tête. Elle s'essuie hâtivement les mains et se plante devant le mur de sa bibliothèque. Elle attrape un tabouret sur lequel elle se perche pour atteindre la dernière étagère, munie d'une loupe. Son doigt parcourt l'étagère pour se poser sur Œdipe roi de Sophocle. Œdipe devenu roi de Thèbes doit affronter une épidémie de peste qui décime ses sujets. Seule la punition du meurtrier du précédent roi y mettra fin. Quand Œdipe découvre qu'il est lui-même le meurtrier, il se crève les yeux. Aveugle, il quitte la ville. Il devient le sage vagabond capable de voir le futur sans pouvoir voir là où poser son prochain pas. Sagesse et cécité sont ainsi liées. Un mythe pour éclairer d'un nouveau jour la crise Oculus ?

3 juin

8h01. Alix regarde à nouveau son téléphone. Déjà une minute de plus. Il n'est pourtant jamais en retard. Peut-être a-t-il décidé de laisser tomber. Il ne viendra pas. Elle lui a donné rendez-vous dans un café du centre. Ne sachant pas où il vit, elle a pensé que le centre restait le plus pratique à Paris. Et puis c'est un des rares cafés encore ouvert. Les commerçants ont été éprouvés depuis le début de la crise entre l'invitation gouvernementale à limiter ses sorties et l'arrêté préfectoral interdisant la publicité visuelle sur les panneaux d'affichage et dans les vitrines. Il y a une semaine, le préfet a déclaré à la radio « il faut se concentrer sur les informations clefs, la publicité nous en distrait ». Dans la foulée, un médecin a témoigné au journal télévisé de 20h pour expliquer que les devantures de magasins pouvaient provoquer une fatigue oculaire et que la publicité était devenue une pollution visuelle fatigante. Les agences de communication se sont alignées pour survivre, rivalisant en design simple et épuré.

Ce matin elle a enjambé son vélo pour la première fois depuis sa rencontre avec la vieille dame. Son vélo lui manquait trop. Elle se sentait à l'étroit chez elle et assignée dans la rue à faire pesamment un pas après l'autre. La sensation de légèreté, la fluidité de mouvements, le sentiment de liberté lui manquaient au point de la pousser à décadenasser son vélo. Comme une enfant pour la première fois sans roulette, elle a parcouru les rues désertées de Paris. Alors elle a fait de larges virages profitant de toute la largeur de la chaussée, elle a évité les quelques rares passants qui se frayaient un chemin malgré leur vision brouillée, elle a lâché le guidon rue de Rivoli et grillé tous les feux.

A présent, elle est installée en terrasse, le visage baigné par le soleil. Elle décide de se détendre. Elle range son téléphone, s'appuie sur le dossier de sa chaise et ferme les yeux. Ses paupières sont chauffées par les rayons du printemps. Les lumières chaudes dansent devant ses yeux. D'un coup tout devient noir. Alix ouvre les yeux. Le temps qu'ils s'ajustent à nouveau à la lumière, ils distinguent la silhouette de Mathias.

- Salut, dit Mathias en s'installant en face d'elle.
- Salut, tu veux un truc à boire ? demande Alix en se redressant.
- J'ai déjà commandé au comptoir.

Alix prend une grande inspiration. Comment lui expliquer simplement les montagnes russes de réflexion qui l'ont conduite à sa conclusion ? Elle n'a pas le temps de se lancer qu'il la coupe, pour changer.

- Je n'ai pas bien compris ce rendez-vous, ce qui pressait. Le gouvernement est en pleine élaboration d'un plan de relance économique. Quelle est l'urgence ?
- Je crois que tu n'avais pas tort de te concentrer sur les solutions dès le départ.

- Attends, tu es en train de me dire que le technocrate avait raison ?

- Non, je dis qu'il semble impossible de comprendre les causes qui ont rendues notre monde flou. La science actuelle ne le peut pas en tout cas. Dans un siècle peut-être, répond Alix sérieusement.

- Tu as arrêté de chercher ?

- Activement, oui.

- Alors quoi ? La gravité de la voix d'Alix l'a surpris.

- Alors il va falloir inventer de nouvelles façons de vivre dans un monde flou. Il va falloir trouver de nouvelles façons de percevoir l'espace pour pouvoir continuer à vivre, il va falloir réinventer le travail, repenser les relations que nous entretenons avec nos proches.

- Tu veux dire que la crise n'est pas momentanée ?

- Non, le monde risque d'être flou pour un moment, on doit s'adapter. Ce serait bien que le gouvernement le prenne en compte pour orienter ses efforts dans son plan de relance économique.

- Mais ça remet en cause tout notre modèle économique ce que tu racontes.

- Oui en tant qu'espèce 80% des informations que nous percevons passent par la vue, enfin, passaient. Aujourd'hui on en est réduit à 30%.

- Heureusement ça semble se stabiliser !

- Oui mais la courbe ne s'inverse pas. Il va falloir s'adapter, en tant qu'espèce. Imaginer de nouvelles façons de percevoir, en diversifiant nos sens. On pourrait voir par ultrason comme les chauves-souris, identifier nos interlocuteurs par leur parfum, écouter nos mails plutôt que les lire, imaginer des spectacles de lumières colorées. On a tant à inventer. On peut donner vie à un nouveau monde, cette fois-ci pour de bon, ce n'est pas une utopie, il est là, à portée de main. De la contrainte nait la créativité. Nous ne pouvons plus nous contenter de faire comme avant. Il va falloir apprendre à faire avec.

Mathias est songeur. Il prend le temps de la réflexion, d'assimiler l'avis de la scientifique, de la spécialiste de la vision. Le serveur dépose tout doucement la tasse sur la table.

- C'est le temps du politique, poursuit Alix. Vous pouvez faire date. Appelez à la créativité des citoyens. Sortez-les de la panique et du repli dans lequel ils sont en train de s'habituer à vivre. On meurt d'isolement par peur de tomber d'un trottoir et que le chirurgien n'y voit plus assez pour opérer. C'est un risque vital à prendre.

Mathias ajuste son assise, boit une gorgée de son café. Il perçoit l'énergie et la conviction d'Alix. Il doit plisser les yeux pour distinguer nettement ses traits.

- Le cerveau est incroyable, tout neurologue te le dira, insiste Alix, elle sent qu'elle n'est pas loin d'emporter son adhésion. Suite à la perte d'un sens, le cerveau s'ajuste et un autre sens prend la relève pour compenser. A nous d'aider les citoyens à prendre conscience de leurs capacités.

- Nous ? souligne Mathias.

- Euh, pardon, je voulais dire vous.

- Non, je crois que tu as raison, corrige Mathias, il se tient droit sur sa chaise, le regard assuré. Nous, comme tous les citoyens, pas juste le gouvernement. On doit pouvoir tous participer à créer ce nouvel environnement dont tu parles. La politique publique doit juste créer le cadre favorable. On peut imaginer un concours Lépine des solutions innovantes avec un investissement à la clef pour son déploiement.

- Et des investissements dans des solutions qui existent déjà pour les écoles braille, les éditeurs de livres audio, l'automatisation des métros et des trains, …

- Bon, je retourne à Matignon, dit Mathias en se levant. Tu viens avec moi ?

Epilogue

Six mois plus tard, le monde a beaucoup évolué.

Le concours pensé par Alix et Mathias a eu lieu en septembre. On parle désormais du concours Duffet. Cette première édition a eu un tel succès qu'elle sera reconduite tous les ans a annoncé le Premier Ministre. En voici le palmarès :

- Le parfum d'identité pour identifier les gens à l'odorat.
  Solution proposée par un grand Nez.
- Le laser de quai, un dispositif de signal sonore déclenché par franchissement d'un rayon laser sur les quais de métro.
  Solution proposée par un Directeur de musée.
- Un jeu sonore pour apprendre aux enfants à s'orienter dans la ville à l'ouïe.

Solution proposée par un collectif de musiciens et l'association des malvoyants de France.

*

Les restaurants proposent des repas prédécoupés pour éviter aux clients de se blesser avec un couteau. Ces derniers ont senti leurs papilles gustatives se développer et refusent à présent la malbouffe. Ils n'hésitent plus à quitter la table si un plat est mal assaisonné. L'obésité a largement diminué.

*

Les réseaux sociaux ont fait faillite, faute de photos de repas à publier et de vidéos de chats à liker. Désormais on savoure sa nourriture et on caresse les chats.

*

Les couturiers imaginent des vêtements « signature », qui permettent aux gens de se distinguer les uns des autres dans la rue. La fast fashion a disparu. La mode est redevenue un artisanat. Il n'y a plus que des pièces uniques, chères, mais durables. Des esclandres éclatent dans la rue si deux personnes se retrouvent à porter la même chose. L'un accusant le couturier de l'autre de l'avoir copié, quand en fait certains petits malins ont juste produit deux pièces identiques, en pariant sur la faible probabilité d'une rencontre.

*

Les lecteurs craignant que leur vue ne continue de baisser, se sont réunis en coopérative pour enregistrer tous les livres qu'ils voulaient préserver pour les générations futures. Même si le plateau à -5 dioptries semble stable, l'entreprise, Fahrenheit 451, est florissante. Les livres audio sont en passe de remplacer le papier dans les libraires.

*

De nouveaux coachs ont fait leur apparition : des coachs d'oreille. Une société composée de malvoyants de naissance propose ses services pour apprendre aux nouvellement myopes à aiguiser leur ouïe. Des centaines de sites internet proposent des exercices de reconnaissance de sons.

*

Les avions ne volent plus. Tous les ingénieurs aéronautiques ont été intégrés en apprentissage dans l'automatisation des lignes de transport terrestre sur rail. Les aéroports ont été rachetées par des fabricants de trains qui font leurs tests sur les anciennes pistes de décollage. On reliera bientôt Paris à Moscou en six heures de train. Les gares sont devenues un lieu de vie incontournable dans toutes les villes. Les villages sont reliés aux gares par des navettes cyclistes dotées de la technologie ultrason de la société Bat Technology. Les passagers redécouvrent une liberté de mouvement et d'action dans les gares et les trains, où la fluidité tranche avec l'expérience de l'avion et de son pendant, l'aéroport.

*

Les interdictions de circulation de véhicules individuels ont fleuri dans l'essentiel des pays de la planète. Certains résistent encore, en partie du fait du lobby des assurances dont les prix ont centuplé, en partie pour ne pas limiter les libertés individuelles à la veille d'élection. La pollution de l'air a ainsi baissé drastiquement comme le démontre les images satellites de la NASA. Le nombre de décès pour insuffisance pulmonaire est passé sous le nombre de décès liés à des chutes dues à la myopie généralisée.

*

Les gens ont ralenti le pas et leur vie. Ils prennent désormais le temps de voir la nature autour d'eux avec tous leurs sens. Le paysage n'est plus pris en photo mais vécu, expérimenté. Les gens sentent les plantes, touchent les arbres, respirent l'odeur de la terre, sentent les aspérités du terrain sous les pieds, écoutent les animaux, oiseaux, abeilles, ou même prédateurs pendant les randonnées. Il faut bien apprendre à faire avec, et attention parfois…

Si vous avez des idées pour le prochain concours Duffet :

lemondeestflou@gmail.com

Chronologie

18 février 7

19 février 18

22 février 29

25 février 34

27 février 44

28 février 50

4 mars 58

6 mars 67

11 mars 73

13 mars 89

15 mars 96

18 mars 101

30 mars 111

4 avril 119

14 avril 124

18 avril 128

20 avril 135

11 mai 146

16 mai 151

3 juin 159

Epilogue 166